LA NUIT DES INITIÉS
La clé des grands mystères

LES ÉDITIONS LE NORDAIS (livres) LTÉE
Une filiale de: Les Placements Le Nordais Ltée
100, ave Dresden
Ville Mont-Royal, Qué. H3P 2B6
Tél.: (514) 735-6361

Dépôts légaux, quatrième trimestre 1981:
Bibliothèque nationale du Québec et
Bibliothèque nationale du Canada

ISBN 2-89222-010-6

MICHEL SAINT-AILME

LA NUIT DES INITIÉS

La clé des grands mystères

Michel Saint-Ailme

L'AUTEUR

Journaliste, Michel Saint-Ailme voyage à la fois dans l'espace et dans le temps. Il se passionne pour les événements mystérieux noyés dans la durée; ceux qui concernent les hommes anciens, leurs croyances, leurs mythes, leur vie quotidienne, leurs combats obscurs. Quand il se penche sur un problème d'actualité, c'est que celui-ci met en cause une population résiduelle menacée dans son existence par l'avance de la société industrielle. Archéologue de formation, Michel Saint-Ailme est en effet venu tout naturellement à l'ethnographie, parce que les peuples dits archaïques le fascinent, et qu'il n'accepte pas de les voir mourir dans l'indifférence générale.

Pendant de longues années, il a vécu dans le Tiers-Monde, étudiant les mentalités traditionnelles en voie de disparition.

Auteur de nombreux articles, publiés en France et à l'étranger, il a choisi d'être le reporter des cultures et des siècles oubliés. Parallèlement à cette activité, il n'a cessé de mener, sur le terrain, un travail de recherche purement scientifique. Mais, pour lui, l'archéologie et l'ethnographie demeurent des disciplines engagées. A ses yeux, la connaissance du passé lointain et celle des comportements liés à la découverte de l'Invisible, doivent permettre à l'homme moderne de mesurer toute la fragilité de ses idéologies artificielles et, par là-même, de mieux savoir jusqu'où il peut aller trop loin dans ses rêves de conquérant déraciné.

« Nous sommes des hommes, et notre lot c'est d'apprendre et d'être projetés dans d'inconcevables nouveaux mondes.

« — Y a-t-il vraiment pour nous des mondes nouveaux? demandai-je.

« — Imbécile, nous n'avons rien épuisé, dit-il d'un ton péremptoire. Voir *est réservé aux hommes parfaits. Tempère donc ton esprit dès maintenant, deviens un guerrier, apprends à voir, et tu sauras alors qu'il n'y a pas de fin aux nouveaux mondes de notre vision ».*

(Propos de Don Juan rapportés par Carlos Castaneda)

« Notre race se meurt, nos dieux nous ont quittés il y a longtemps, et sans eux nous ne pouvons survivre ».

(Philippe Druillet)

LES MAITRES DU FEU

I

On pourrait dire bien des choses de Johann Baptist Van Helmont, mais certainement pas qu'il fut un joyeux farceur. Médecin et chimiste, il se rendit célèbre au XVIIème siècle par des travaux qui annonçaient la science moderne. C'est ainsi qu'on lui doit la découverte du suc gastrique, celle du gaz carbonique et la mise au point d'un thermomètre très perfectionné pour l'époque. Ce positiviste avant la lettre a pourtant laissé un nom dans l'histoire de l'alchimie; ceci à cause d'un mystérieux visiteur qu'il reçut, un soir de 1618, dans son laboratoire de Vilvorde, près de Bruxelles.

Affirmant qu'il venait de la part d'un Adepte désireux de garder l'anonymat, l'inconnu remit au savant quelques milligrammes d'une poudre rougeâtre. « Il s'agit de la Pierre philosophale, précisa-t-il. Celle qui permet de transmuter en or les métaux ordinaires. Faites vous-même l'expérience et jugez du résultat. »

Sur ces mots, l'homme tourna les talons et s'éloigna dans la nuit. Van Helmont, qui ne croyait pas à l'alchimie, pensa qu'il venait d'être victime d'un canular de mauvais goût. Pressé par la curiosité, il procéda tout de même à une première projection dont les effets lui coupèrent le souffle. A plusieurs reprises il recommença l'opération, soit seul, soit en présence de témoins. Chaque fois, le même phénomène extraordinaire se reproduisit dans le creuset.

Quand Van Helmont relata son aventure dans un ouvrage intitulé: « Arbor Vitae », il écrivit ces lignes: « Je suis forcé d'admettre l'existence de la pierre aurifique et argentifique, parce qu'en diverses circonstances, j'ai de ma main fait projection d'un grain de poudre sur quelque mille grains d'argent vif bouillant, et devant d'autres personnes. A notre chatouillant étonnement, le travail dans le feu réussit, ainsi que les livres l'assurent. »

Dans un autre traité, le chimiste belge apporta par la suite des précisions supplémentaires: « J'ai vraiment vu cette pierre quelquefois et je l'ai touchée. Elle était de la couleur du safran en poudre, pesante cependant et brillante, à la ressemblance du verre pilé. On m'en donna une fois quelque quantité. Je projetai moi-même un quart de grain enveloppé de papier sur huit onces d'argent vif bouillant dans une coupelle et, à l'instant même, tout l'hydrargyre, avec un assez grand bruit, cessa de couler et, congelé, demeura comme une masse jaune. Et après l'avoir fondu, en poussant le feu, il se trouva huit onces, moins onze grains, de l'or le plus pur. Ainsi, un grain de cette poudre aurait pu transmuter en excellent or, 19.156 parties égales d'argent vif. »

Comme l'a noté le très rationaliste Louis Figuier, il y a un peu plus de cent ans, dans son livre « L'Alchimie et les Alchimistes »: « Il faut convenir qu'un tel fait était un argument presque sans réplique à invoquer en faveur de la Pierre philosophale. Van Helmont, le chimiste le plus habile de son temps, était difficile à tromper; il était lui-même incapable d'imposture, et il n'avait aucun intérêt à mentir, puisqu'il ne tira jamais le moindre parti de cette observation. »

LA CONVERSION D'HELVETIUS

Toute possibilité de fraude ou de négligence étant exclue dans cette affaire, le témoignage de Van Helmont a conservé jusqu'à nos jours une valeur exceptionnelle. Mais il convient de mener l'enquête avec prudence, de rassembler d'autres preuves avant de formuler un jugement définitif. C'est pourquoi, parmi les documents sérieux méritant d'être pris en considération, nous retiendrons le récit laissé par Jean-Frédéric Schweitzer, plus connu sous le pseudonyme d'Helvétius et qu'il ne faut pas confondre avec Claude-Adrien Helvétius, le philosophe français défenseur du sensualisme absolu.

Médecin du Prince d'Orange, Helvétius-Schweitzer avait longtemps considéré les tenants de l'Art Royal comme des illuminés et des chasseurs de chimères. Une querelle fameuse l'avait même opposé au chevalier Digby, un alchimiste bien connu. Or, lui aussi fut converti à peu près dans les mêmes conditions que Van Helmont. Dans un texte portant le titre de « Vitulus aureus quem mundus adorat et orat », publié en Hollande en 1667, il a raconté comment les choses se sont passées.

Louis Figuier résume cette intéressante confession: « Le 27 décembre 1666, Helvétius reçut, à la Haye, la visite d'un étranger, vêtu, dit-il, comme un bourgeois du nord de la Hollande, et qui refusait obstinément de faire connaître son nom. Cet étranger annonça à Helvétius que, sur le bruit de sa dispute avec le chevalier Digby, il était accouru pour lui porter les preuves matérielles de l'existence de la Pierre philosophale. Dans une longue conversation, l'Adepte défendit les principes hermétiques, et pour lever les doutes de son adversaire il lui montra, dans une petite boîte d'ivoire, la Pierre philosophale. C'était une poudre couleur de soufre. En vain, Helvétius conjura-t-il l'inconnu de lui démontrer, par le feu, les vertus de sa poudre, l'alchimiste résista à toutes les instances, et se retira en promettant de revenir dans trois semaines.

« Tout en causant avec cet homme et en examinant la Pierre philosophale, Helvétius avait eu l'adresse d'en détacher quelques parcelles, et de les tenir cachées sous son ongle. A peine fut-il seul, qu'il s'empressa d'en essayer les vertus. Il mit du plomb en fusion dans

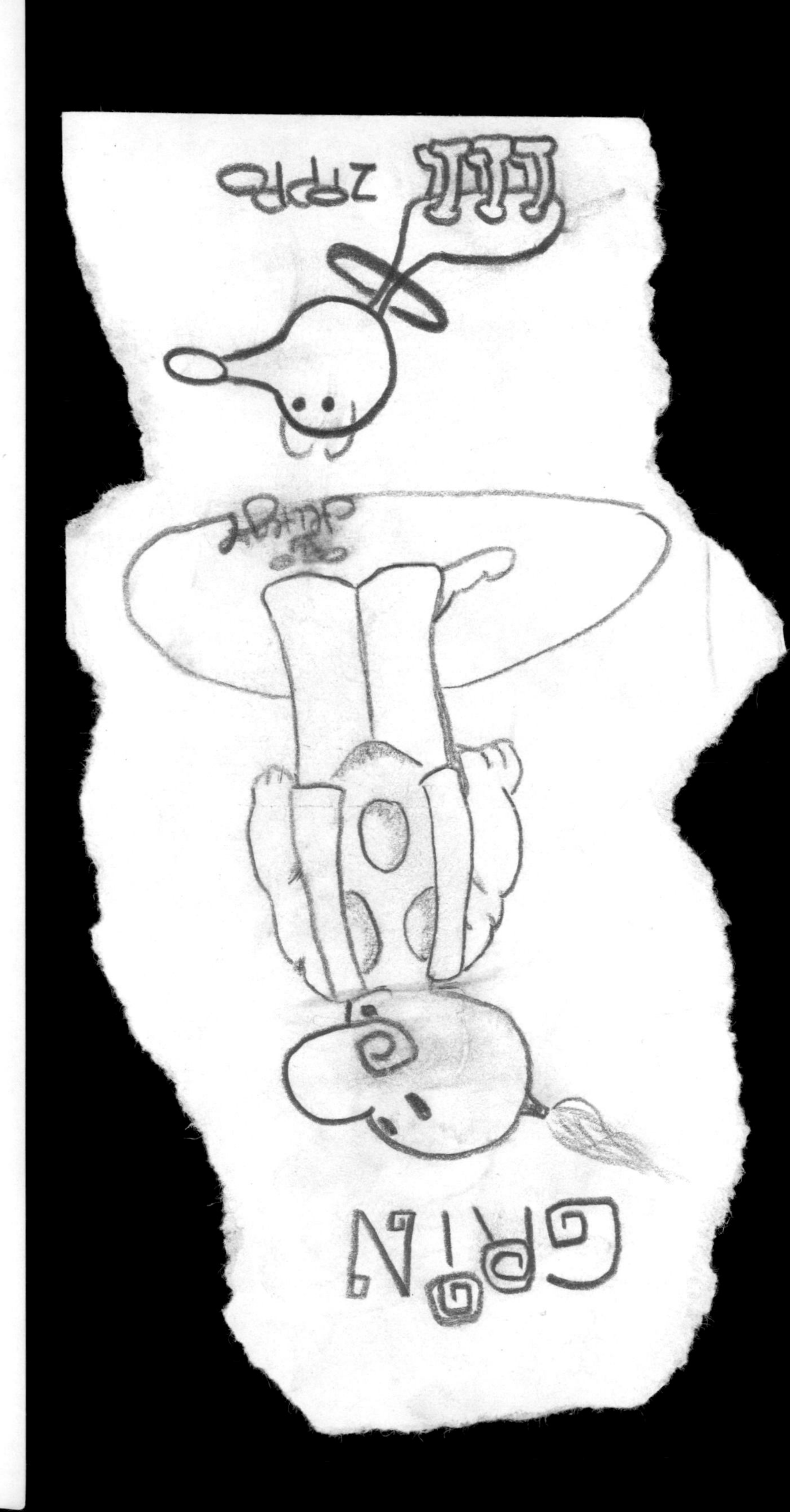

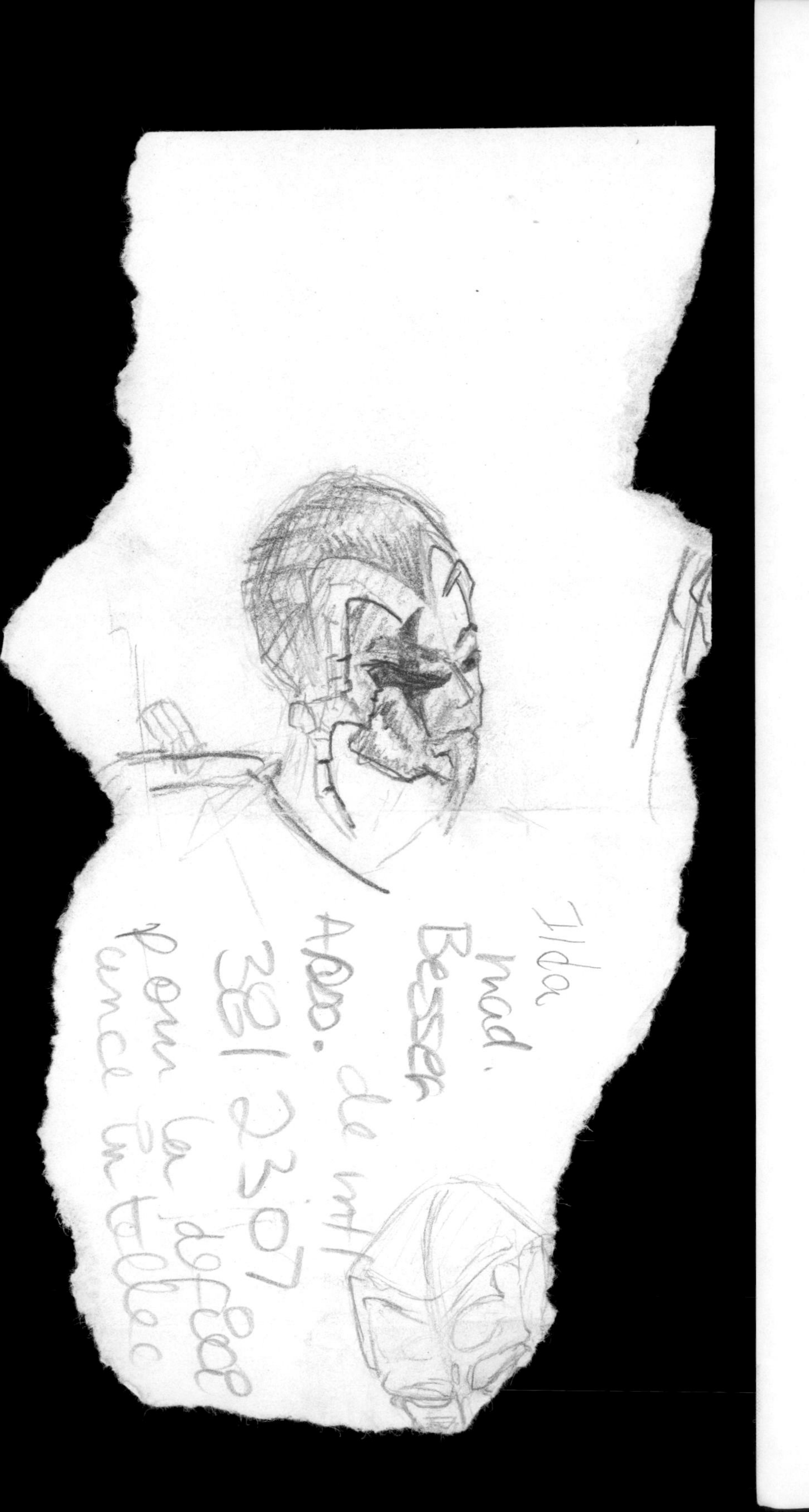

un creuset et fit la projection. Mais tout se dissipa en fumées; il ne resta dans le creuset qu'un peu de plomb et de terre vitrifiée.

« Jugeant dès lors cet homme comme un imposteur, Helvétius avait oublié l'aventure, lorsque trois semaines plus tard, et au jour marqué, l'étranger reparut. Il refusa encore de faire lui-même l'opération, mais cédant aux prières du médecin, il lui fit cadeau d'un peu de sa pierre, à peu près la grosseur d'un grain de millet. Et comme Helvétius exprimait la crainte qu'une si petite quantité de substance ne pût avoir la moindre propriété, l'alchimiste, trouvant encore le cadeau trop magnifique, en enleva la moitié, disant que le reste était suffisant pour transmuter une once et demie de plomb. En même temps, il eut soin de faire connaître, avec détails, les précautions nécessaires à la réussite de l'oeuvre, et recommanda surtout, au moment de la projection, d'envelopper la Pierre philosophale d'un peu de cire, afin de la garantir des fumées du plomb.

« Helvétius comprit, en ce moment, pourquoi la transmutation qu'il avait essayée avait échoué entre ses mains. Il n'avait pas enveloppé la Pierre dans de la cire, et avait négligé par conséquent une précaution indispensable. L'étranger promettait d'ailleurs de revenir le lendemain pour assister à l'expérience.

« Le lendemain, Helvétius attendit inutilement; la journée s'écoula tout entière sans qu'il vît paraître personne. Le soir venu, la femme du médecin, ne pouvant plus contenir son impatience, décida son mari à tenter seul l'opération. L'essai fut exécuté par Helvétius en présence de sa femme et de son fils. Il fondit une once et demie de plomb, projeta sur le métal en fusion la pierre enveloppée de cire, couvrit le creuset de son couvercle et le laissa exposé un quart d'heure à l'action du feu. Au bout de ce temps, le métal avait acquis la belle couleur verte de l'or en fusion; coulé et refroidi, il devint d'un jaune magnifique.

« Tous les orfèvres de la Haye estimèrent très haut le degré de cet or; Povelius, essayeur général des monnaies de la Hollande, le traita sept fois par l'antimoine, sans qu'il diminuât de poids. »

Et Figuier d'ajouter: « Les termes et les détails minutieux de ce récit excluent, de la part de son auteur, tout soupçon d'imposture. »

Dont acte!

Mais l'histoire d'Helvétius ne s'arrête pas là. La transmutation du 27 décembre 1666 ayant fait grand bruit en Hollande et même au delà, Spinoza, le philosophe qui porta à l'extrême la méthode cartésienne, décida de procéder à une série de vérifications. Il interrogea un certain Brechtel, monnayeur de son état, qui avait essayé l'or. Puis il se rendit chez Helvétius. Celui-ci lui fournit toutes les précisions souhaitables, et lui montra le métal précieux ainsi que « le creuset contenant encore un peu d'or attaché à ses parois. » Peu disposé à s'en laisser conter, Spinoza usa de toutes les ressources de sa dialectique. Il chercha vainement le défaut de la cuirasse et fut bien obligé, en fin de compte, de s'incliner devant l'évidence.

CETTE POUDRE COULEUR DE PAVOT SAUVAGE

Faut-il citer encore un témoin à la barre? Il n'y a que l'embarras du choix. Appelons, par exemple, le savant Bérigard de Pise qui vécut, lui aussi, au XVII ème siècle et s'affirma tout au long de son existence comme un homme pondéré, parfaitement crédible, doué de surcroît d'un sens peu commun de l'observation.

Après avoir tourné trois fois sa plume d'oie dans l'encrier, il note dans son « Circulus Pisanus »: « Je rapporterai ce qui m'est arrivé autrefois; lorsque je doutais fortement qu'il fût possible de convertir le mercure en or. Un homme habile, voulant lever mon doute à cet égard, me donna un gros d'une poudre dont la couleur était assez semblable à celle du pavot sauvage, et dont l'odeur rappelait celle du sel marin calciné. Pour détruire tout soupçon de fraude, j'achetai moi-même le creuset, le charbon et le mercure chez divers marchands, afin de n'avoir point à craindre qu'il y eût de l'or dans chacune de ces matières, ce que font si souvent les charlatans alchimiques. Sur dix gros de mercure (nota: 38,2 grammes) j'ajoutai un peu de poudre, j'exposai à un feu assez fort, et en peu de temps la masse se trouva toute convertie en près de dix gros d'or, qui fut reconnu comme très pur par les essais des divers orfèvres. Si ce fait ne me fût point arrivé sans témoins, hors de la présence d'arbitres étrangers, j'aurais pu soupçonner quelque fraude; mais je puis assurer avec confiance que la chose s'est passée comme je la raconte. »

D'autres documents rapportent qu'au XVIIème et au XVIIIème siècles, des transmutations semblables à celles que nous venons d'évoquer eurent lieu un peu partout en Europe, en sorte que l'on est conduit à se demander si, à une époque charnière, des initiés n'ont pas voulu fournir la preuve de l'authenticité de leur art, avant de l'occulter pour des raisons restant à préciser.

Quoiqu'il en soit, des hommes de science parfaitement compétents se sont récemment penchés sur ces expériences troublantes. Plusieurs d'entre eux ont été amenés à conclure, comme le physicien Georges Ranque, que la « Pierre philosophale n'est pas un être de raison, qu'elle existe et a été réalisée et utilisée à diverses reprises au cours des temps. » D'autres se taisent, mais n'en pensent pas moins.

L'alchimie, pourtant, n'est pas près de sortir du ghetto où le savoir officiel la maintient. Les mandarins de notre époque la condamnent parce qu'elle défie leurs dogmes. Sanglés dans des certitudes étroites, ils s'obstinent à tourner en dérision son langage symbolique difficilement pénétrable, et refusent de faire la différence entre les authentiques « philosophes » et les nombreux aventuriers qui abusèrent un public trop crédule, en affirmant détenir le secret hermétique.

LES EXTRAVAGANCES DU SIEUR DE L'ISLE

Dans l'imposante cohorte des faux adeptes, de l'Isle — qui, pour l'état civil, s'appelait plus prosaïquement Jean Troin — fait figure de vedette. Fils de paysans, il naquit à Bargemon, en Provence, aux alentours de 1670. Dès qu'il sut marcher, il apprit à garder les moutons. A dix ans, il abandonna son troupeau et s'engagea comme apprenti dans une forge. Son biographe, J-A Durbec, note qu'il « devint là, très rapidement, un excellent ouvrier et de surcroît, sans maître et sans principes, l'armurier-serrurier le plus habile qui ait jamais paru. »

A quinze ans, Jean Troin jouissait déjà dans le pays d'une solide réputation professionnelle. Grisé sans doute, il sentit naître en lui les ardeurs de l'ambition. Il rêvait d'horizons nouveaux et de gloire facile quand le hasard voulut bien lui venir en aide. Un beau matin, il partit livrer à Nice des platines de fusil; ce voyage devait décider de son destin.

Dans une auberge à l'enseigne du « Chapeau Rouge », il rencontra un mystérieux alchimiste d'origine transalpine dont l'histoire n'a retenu que le prénom: Denis. Que se passa-t-il entre le « souffleur » errant et le jeune provençal? Nous ne le savons pas. Dans ses déclarations ultérieures Troin-de L'Isle se montra toujours évasif, affirmant seulement que l'italien lui avait appris « à faire de l'or à partir du plomb, donc à réaliser la transmutation des métaux. »

Denis et son élève ne travaillèrent pas longtemps

ensemble. Le premier disparut sans laisser de traces et Jean Troin, qui commençait à roder son ronflant pseudonyme dans les châteaux du Midi, ne tarda pas à faire parler de lui, sans se soucier d'une condamnation à mort par contumace, prononcée à son encontre à la suite d'une ténébreuse affaire de faux-monnayage.

Mais la loi ne dormait que d'un oeil. Sur la foi d'un rapport circonstancié, Lebret, intendant de Provence, mit en mouvement les soldats du régiment de Grignan. Pas moins! De L'Isle, qui bénéficiait de solides appuis dans les gentilhommières, se fit un malin plaisir de ridiculiser les officiers du Roi. Chaque fois que ceux-ci croyaient le tenir, il leur filait entre les doigts. Un matin d'août 1705, la chasse à l'homme tourna au grand guignol. Le soi-disant alchimiste était alors l'hôte du seigneur de La Palud de Moustiers. Les indicateurs avaient bien fait leur travail. Un piège fut tendu dans la chapelle où de L'Isle devait entendre la messe, en compagnie de M. de La Palud, de sa femme et de sa fille.

« C'est au milieu de l'Office, conte J-A Durbec, que Mademoiselle de La Palud constata qu'un officier, deux sergents et trois soldats se trouvaient parmi les assistants. De L'Isle avait sans doute prévenu sa jeune et vigilante amie qu'il courait un grand danger, car celle-ci sortit alors discrètement de la chapelle et se dirigea vers la maison de ses parents pour y prendre des armes. Sa manoeuvre n'avait cependant pas échappé à l'officier, qui donna l'ordre de s'emparer immédiatement du contumace. »

Suivit une scène homérique. « L'alchimiste tint tête à la petite troupe, secondé par le seigneur du lieu, jusqu'au moment où Mlle de La Palud revint avec deux pistolets et une baïonnette. La jeune fille mit aussitôt un soldat hors de combat. Sa mère en fit autant. » Tandis que la lutte se poursuivait, de L'Isle s'éclipsa dans la confusion générale.

Après cet incident la carrière du « philosophe provençal » prit un splendide essor. L'ancien berger s'était joué des hommes du comte de Grignan. Il avait mis à mal le prestige du puissant Lebret. Il ne lui restait plus, car il ne doutait de rien, qu'à intéresser le roi à ses travaux. Pour cela, « il manoeuvra avec l'adresse et la souplesse d'un diplomate consommé. » D'un château à l'autre, il multiplia les transmutations, laissant généreusement à ses admirateurs (et protecteurs) les lingots nés dans ses creusets.

A ce train là, sa célébrité s'enfla démesurément. Même les courtisans de Versailles, qui pourtant en avaient vu d'autres, ne jurèrent plus que par de L'Isle. Bref, il fit tant et si bien que le ministre des Finances lui accorda, en 1706, un sauf-conduit, « afin qu'il puisse parfaire ses expériences et venir les présenter à sa Majesté. »

De L'Isle, pourtant, se garda bien de crier victoire. Soucieux de se réserver une issue de secours, il s'installa au château de Saint-Auban, un nid d'aigle situé sur les contreforts des Alpes, d'où il pouvait, si le besoin venait à s'en faire sentir, gagner rapidement les terres du Duc de Savoie. Dans sa forteresse des nuages, il travailla d'arrache-pied avec d'autant plus de confiance que l'évêque de Senez, Mgr Soanen, avait entièrement épousé sa cause. A plusieurs reprises, pour convaincre ses détracteurs, il procéda à des transmutations publiques qui laissèrent pantois les sceptiques les plus coriaces. Il semblait donc sur le point de gagner la partie. Malheureusement, quelques difficultés techniques, à ce qu'il disait, l'empêchaient encore d'aller jusqu'à Versailles faire étalage de ses talents devant le roi. Difficultés mineures, au demeurant, qu'il s'engageait à résoudre si l'on voulait bien le laisser en paix dans la solitude de son laboratoire.

Mais tandis que de L'Isle s'affairait avec ses « sucs

lunaires », son « eau magistrale » et sa « poudre de projection », M. de Grignan et le sieur Lebret ne songeaient qu'à prendre leur revanche. Comme ils avaient le bras long et une redoutable suite dans les idées, ils arrivèrent à leurs fins. Malgré les efforts désespérés de Mgr Soanen.

Le 9 mars 1711, un agent du comte de d'Artagnan arrêtait de L'Isle à Nice, au moment, semble-t-il, où il tentait une fois de plus de filer à l'anglaise. Au cours d'une perquisition effectuée au château de Saint-Auban, on découvrit quelques lingots d'or et une médaille pesant deux onces environ.

« Il s'agissait là, précise J-A Durbec, d'une médaille que le roi du Portugal avait envoyée à de L'Isle en même temps qu'un parchemin le nommant « chevalier des stygmates. » Nous ne savons trop quel sens donner à cette nomination. On peut, en tout cas, y voir la preuve certaine que la renommée du « philosophe » avait passé les frontières de son pays, celle aussi que la cour du Portugal cherchait à attirer de l'Isle. »

CHEF D'UN GANG INTERNATIONAL

Couvert de chaînes et escorté par une troupe d'élite, le « faiseur d'or » prit le chemin de Paris. En cours de route, dans un effort surhumain, il parvint à briser ses entraves et tenta de s'évader. Les gardes ouvrirent le feu. De L'Isle s'écroula, atteint de trois balles. On le soigna avec les moyens du bord et, le 4 avril, les lourdes portes de la Bastille se refermèrent sur lui. Le prisonnier, cependant, fut traité avec égards. Louis XIV ne voulait pas sa perte, mais son « secret ». On lui fournit donc tout ce dont il avait besoin pour travailler. Il fit ce qu'il put, c'est-à-dire peu de choses et, comprenant qu'il était perdu, sombra au bout de quelques mois dans une profonde mélancolie. Le 31 janvier 1712, il mourut dans des circonstances mal

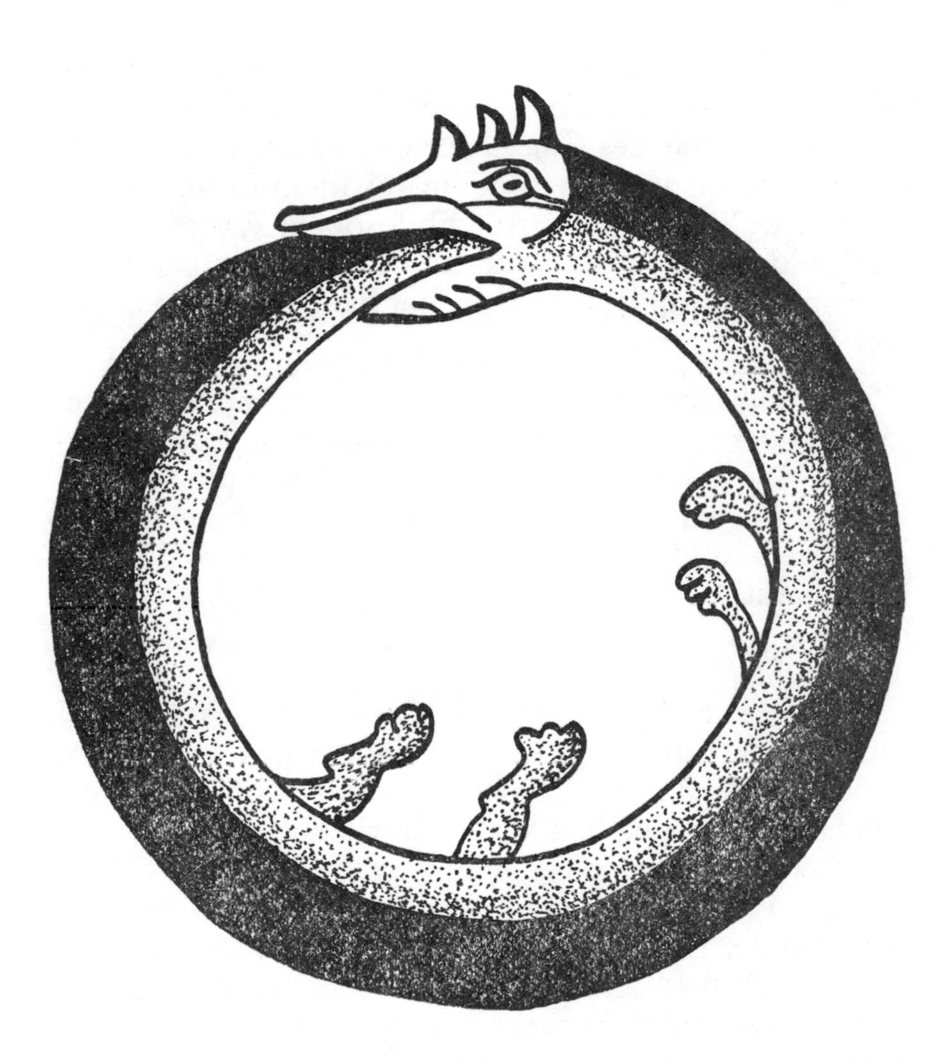

Représentant un dragon ou un serpent qui se dévore la queue, l'ouroboros symbolise la nature latente que le Grand Oeuvre alchimique va conduire à sa perfection, à sa sublimation.

éclaircies. Le chirurgien chargé de l'autopsie constata l'existence d'une « thumeure syrreuse qui occupoit l'intérieur du conduit inférieur de l'estomac appelé pylore. » En fait, il semble que de L'Isle ait été empoisonné. A moins qu'il n'ait préféré se donner la mort.

Quand on évoque le souvenir de cet homme peu ordinaire, la question essentielle qui se pose concerne l'origine de sa fortune. Celle-ci fut à coup sûr considérable puisque, des années durant, il mena grand train, distribuant en outre autour de lui quantité de lingots d'un or qu'il affirmait être « philosophal », alors qu'on sait aujourd'hui « qu'au cours de ses démonstrations, il restituait simplement le métal pompé au préalable par ses huiles. »

Etant donné que, contrairement à nombre d'autres « souffleurs », de L'Isle ne se fit jamais entretenir par ses nobles admirateurs, et qu'il avait de plus débuté dans la vie sans un liard en poche, il est bien évident qu'il devait, de façon discrète, exercer une activité fort lucrative.

Laquelle?

Après avoir examiné le problème sous tous ses angles, J-A Durbec a fini par avancer une explication satisfaisante. Ayant tâté dès sa jeunesse du faux-monnayage, de L'Isle, loin de raccrocher quand il se vit condamné à mort par contumace, aurait, au fil des années, réussi à donner à son trafic une dimension européenne. Devenu un authentique chef de gang international, il se serait alors servi de l'alchimie comme d'une couverture destinée à détourner les soupçons. Faute de documents, il est certes difficile de vérifier cette hypothèse, mais il y a bien des chances pour qu'elle corresponde à la réalité. Elle colle, en tout cas, parfaitement à la personnalité d'un aventurier qui voua à l'or une passion sans partage.

II

Les alchimistes ont beaucoup écrit et peu révélé. Le plus court texte traitant du Grand Oeuvre est la Table d'Emeraude, attribué à Hermès Trimégiste, dont on ne sait trop s'il fut un dieu ou, plus modestement, un roi égyptien prépharaonique. Dans ces quelques lignes tout est dit, et tout demeure caché au regard du profane, comme l'on peut en juger d'après la traduction établie par l'Adepte contemporain Fulcanelli:

« Il est vrai, sans mensonge, certain et véritable:

« Ce qui est en bas est comme ce qui est en haut, et ce qui est en haut est comme ce qui est en bas; par ces choses se font les miracles d'une seule chose. Et comme toutes les choses sont et proviennent d'un, par la médiation d'Un, ainsi toutes les choses sont nées de cette chose unique par adaptation.

« Le Soleil en est le père, la Lune la mère. Le vent l'a porté dans son ventre. La terre est la nourrice et son réceptacle. Le Père de tout, le Thélème du monde universel est ici. Sa force ou puissance reste entière si elle est convertie en terre. Tu sépareras la terre du feu, le subtil de l'épais, doucement, avec grande industrie. Il monte de la terre et descend du ciel, et reçoit la force des choses supérieures et des choses inférieures. Tu auras par ce moyen la gloire du monde, et toute obscurité s'enfuira de toi.

« C'est la force, forte de toute force, car elle vaincra toute chose subtile et pénètrera toute chose solide. Ainsi le monde a été créé. De cela sortiront d'admirables adaptations, desquelles le moyen est ici donné.

« C'est pourquoi j'ai été appelé Hermès Trimégiste, ayant les trois parties de la philosophie universelle.

« Ce que j'ai dit de l'Oeuvre solaire est complet. »

S'ils n'offrent pas la même concision, tous les grands traités ont en commun avec la Table d'Emeraude d'être des rébus initiatiques. Comme elle, ils s'adressent aux élus et non à la grande masse. Lorsqu'il prend la plume, le véritable alchimiste ne fait nullement un travail de vulgarisateur. Persuadé qu'il serait criminel de livrer à n'importe qui les secrets concernant la nature même de l'univers, il se contente de baliser quelques pistes pouvant éventuellement conduire vers le Palais du Graal, les rares sages capables de dépasser l'humaine condition sans sombrer dans les délires de l'orgueil.

L'Adepte arabe Geber le dit nettement dans l'un de ses ouvrages: « Je déclare ici que, dans cette Somme, je n'ai point enseigné notre science selon une démarche cohérente. Si je l'avais exposée dans l'ordre de son développement, des esprits mal intentionnés pourraient la comprendre et l'utiliser à mauvais escient. »

De son côté Artéphius, l'un des Artistes du XII ème siècle, lance rudement à son lecteur: « Pauvre idiot! Serais-tu assez simple pour croire que nous allons t'enseigner ouvertement et clairement le plus grand et le plus important des secrets, et prendre notre parole à la lettre? Je t'assure que celui qui voudra expliquer ce que les philosophes ont écrit selon le sens ordinaire et littéral des paroles, se trouvera engagé dans les détours d'un labyrinthe dont il ne se débarrassera jamais, parce qu'il n'aura pas le fil d'Ariane pour se conduire et en sortir et, quelque dépense qu'il fasse à travailler, ce sera tout autant d'argent perdu. »

A toutes les époques, les alchimistes ont opté pour la même attitude. Conscients de détenir des pouvoirs occultes pouvant devenir redoutables entre les mains d'irresponsables ou de criminels, ils se sont fait un devoir de coder, avec une extrême rigueur, les messages qu'ils laissaient filtrer à l'intention des seuls « initiables », qu'une grâce divine spéciale avait touchés à un moment ou à un autre de leur existence.

C'est pourquoi toute tentative de décryptage des textes hermétiques à l'aide de l'appareillage offert par les techniques modernes, n'aboutirait, en définitive, qu'à un fiasco. Aucun ordinateur ne peut — et ne pourra jamais — déchiffrer les divers langages métaphoriques savamment piégés par les maîtres de l'Art Royal. L'alchimie défie et continuera de défier les logiques mécaniques ou informatiques. Non point parce qu'elle est absurde, mais parce qu'elle vient d'ailleurs.

DEUX CLES POUR UNE ENIGME

Fulcanelli a mis en évidence, dans des livres fameux, la place importante qu'occupe le symbolisme hermétique dans la décoration des cathédrales gothiques et celle de nombreuses « demeures philosophales », à vocation officiellement profane, allant du château chargé d'Histoire au logis plus modestement bourgeois.

Armé d'une patience infinie et d'un immense savoir, il a recensé à travers la France des dizaines de peintures et de sculptures constituant autant de signes destinés — au même titre que les écrits — à ceux qui savent garder les yeux ouverts. Pour considérable qu'il soit, son travail ne pouvait être exhaustif et quiconque veut bien s'en donner la peine a, aujourd'hui encore, la possibilité de faire d'intéressantes trouvailles. A condition de ne pas demeurer prisonnier des autoroutes.

Il y a quelques années par exemple, le graveur André Jacquemin à découvert, au cours d'un voyage dans le Velay, l'extraordinaire maison forte de Cheyrac, sur les murs de laquelle un Sage du XVIème siècle, Antoine du Fornel, fit peindre une splendide introduction aux arcanes du Grand Oeuvre. Pour ma part et en l'espace de six mois, dans un seul département, celui des Alpes-Maritimes, j'ai trouvé, au fil de mes prospections, deux tableaux et une petite croix pectorale, totalement inconnus, offrant de riches allégories qui en disent davantage que bien des livres épais.

Mais c'est à Nice, au monastère Franciscain de Cimiez, que j'ai vécu mes plus belles heures alchimiques. Je connaissais de longue date l'existence des fresques ésotériques (remontant à la fin du XVIIème siècle) qui ornent la sacristie de cet établissement religieux. Etonné de constater qu'elles n'avaient jamais été étudiées de façon approfondie, je décidai, en 1973, de tenter un décodage aussi poussé que possible. Il m'apparut, après des semaines de recherches, que deux jeux de clés étaient nécessaires pour venir à bout de l'énigme. A travers un même ensemble symbolique, les moines de Nice ont en effet réussi à formuler un double message qui révèle leur initiation alchimique, tout en exaltant des thèmes essentiels de leur foi: le Christ et la Vierge.

Ici se fondent, en un seul creuset, mystique chrétienne et philosophie hermétique.

Les fresques de Cimiez se présentent sous la forme de dix panneaux de petite dimension, ornés de motifs tous différents et à première vue indépendants les uns des autres. A y regarder de plus près, on ne tarde pas à s'apercevoir que les emblèmes sont disposés face à face sur les murs, de façon à constituer cinq couples complémentaires. Et c'est seulement quand on a saisi ce fil conducteur, qu'il devient possible d'entreprendre une lecture cohérente du cryptogramme.

De l'entrée jusqu'au fond de la pièce, les cinq couples s'organisent de la façon suivante:

Couple numéro un.

Figure A 1: un dragon dressé devant le soleil.

Figure A 2: le soleil levant.

Couple numéro deux.

Figure B 1: une perle dans une coquille.

Figure B 2: un anneau orné d'une pierre précieuse.

Couple numéro trois.

Figure C 1: un lis sur une couche de fumier.

Figure C 2: une rose épanouie.

Couple numéro quatre.

Figure D 1: une porte fermée.

Figure D 2: un miroir.

Couple numéro cinq.

Figure E 1: le croissant de la lune au dessus d'une tour.

Figure E 2: le soleil éclairant un paysage campagnard.

La traduction du symbolisme d'inspiration chrétienne n'offrant guère de difficultés, je me contenterai de lui consacrer ici un rapide commentaire.

Le dragon (figure A1), représente la puissance du mal qu'il faut vaincre afin d'atteindre la paix. Pour l'homme épris de Dieu, la victoire sur le monstre donne accès au trésor caché; celui qu'il convient de mériter. Dans la tradition antique, le dragon se définit notamment comme le gardien de la Toison d'Or et du jardin des Hespérides. Saint Michel et Saint Georges ne font, en définitive, que reprendre à leur compte l'exploit d'Hercule. Dans l'iconographie médiévale, le Christ lui-même est parfois montré foulant au pied le corps de la bête.

Le soleil, contre lequel se dresse l'animal terrifiant, s'identifie, pour sa part, à la lumière et à la vérité. Il est le symbole du Fils de Dieu, souvent qualifié de « sol invictus », c'est-à-dire de soleil invaincu.

Comme l'écrit Marguerite Chevalier: « Le soleil nous montre après toutes les illusions, la réalité, la vérité de nous-mêmes et du monde. Après avoir reçu de lui l'illumination aussi bien matérielle que spirituelle, nous pouvons affronter le Jugement. Le soleil aiguise la conscience des limites. C'est la lumière de la connaissance et le foyer d'énergie. » (Dictionnaire des symboles).

Le symbolisme du soleil levant (figure A2) se rattache, d'autre part, à l'instauration de la royauté du Christ au moment où les ténèbres se dissipent. Cependant, le dragon défiant l'astre du jour (figure A1) demeure toujours caché quelque part dans le monde et peut, à chaque instant, revenir exercer ses ravages. Rien n'est jamais gagné définitivement. La Foi réclame une lutte de tous les instants.

La coquille (figure B1) rappelle la conque où naquit Vénus. Elle est la marque par excellence du principe féminin. Il s'agit donc d'une allusion directe à la Vierge. Mais il ne faut pas oublier que d'un point de vue « strictement réaliste, la coquille indique en outre la forme de l'organe sexuel de la femme et ce qui peut naître de lui. Elle est donc symbole de la vie. » *(E. Aeppli: « Les rêves et leur interprétation »).*

Parallèlement, la perle se trouve en relation directe avec la féminité créatrice. Pour Saint Ephrème en particulier, elle illustrait l'Immaculée Conception et se définissait comme l'attribut de l'angélique perfection.

Répondant à la figure B1, l'anneau orné d'une pierre précieuse correspond au sceau de la connaissance et de la sagesse. Il illustre la fécondité spirituelle obtenue par la concentration de l'esprit. Il marque également l'existence d'une alliance, donc d'un attachement et d'une fidélité. Mais, pour le chrétien, l'attachement et la fidélité sont des notions essentiellement dynamiques comme le souligne la pierre précieuse qui « symbolise la transmutation de l'opaque en translucide et le passage des ténèbres à la lumière, de l'imperfection à la perfection ». C'est pourquoi la nouvelle Jérusalem évoquée par l'Apocalypse se présente comme une somptueuse architecture de pierreries: « La muraille est construite en jaspe et la ville est d'or pur. Les fondements de la muraille de la ville sont ornés de pierres précieuses de toutes les espèces: le premier fondement est de jaspe, le second de saphir, le troisième de calcédoine, le quatrième d'émeraude, le cinquième de sardonyx, le sixième de sardoine, le septième de chrysolithe, le huitième de béryl, le neuvième de topaze, le dixième de chrysoprase, le onzième d'hyacinthe, le douxième d'améthyste. Les douze portes sont douze perles; chaque porte est d'une seule perle ».

Examinons maintenant le lis (figure C1) et la rose (figure C2). Le lis représente la blancheur et par voie de conséquence l'innocence et la virginité. Dans la tradition biblique, il symbolise également l'élection, le choix de l'être aimé. Pour divers mystiques du XIème siècle, il fut à la fois le signe du Christ et celui de Marie.

« En Occident, la rose correspond, dans l'ensemble, à ce qu'est le lotus en Asie, l'un et l'autre étant très proches du symbolisme de la roue. L'aspect le plus général de ce symbolisme floral est celui de la manifestation issue des eaux primordiales, au dessus desquelles elle s'élève et s'épanouit » (Dictionnaire des symboles). Dans l'iconographie chrétienne, la rose se voit assimilée à la coupe (au graal) où Joseph d'Arimathie recueillit le sang du Crucifié; dans les litanies, la rose mystique désigne aussi la Vierge. Le lis comme la rose témoignent, en définitive, d'une perfection achevée préfigurant la résurrection et l'immortalité.

Avec la porte fermée et le miroir du couple numéro 4, les choses se compliquent quelque peu. Rappelons qu'au Moyen-Age, la mère de Jésus a souvent été représentée sous l'aspect d'une porte verrouillée, ce qui constituait une allusion à sa virginité. De même certains textes religieux lui attribuaient les épithètes de « Porte close d'Ezechiel », de « Porte d'or de l'Orient », de « Porte du Ciel » etc.

Parce qu'il réfléchit la lumière, le miroir quant à lui, se trouve placé en rapport avec la Vérité et la Pureté. Il exprime le rayonnement du Fils passant par la mère immaculée, éternellement médiatrice.

Avec le dernier couple, nous retrouvons le soleil, déjà évoqué, et deux éléments nouveaux — la lune et la tour — qui reprennent et confirment la signification des figures précédentes. La lune est en effet universellement considérée comme un principe féminin. Au même titre que le miroir, elle se trouve donc en liaison avec Marie; la femme qui reflète le feu divin. Enfin, édifice intermédiaire entre le ciel et la terre, la tour symbolisait fréquemment sur les gravures pieuses des siècles passés, la « porte » privilégiée du monde d'en haut, c'est-à-dire la Vierge.

Comme on le voit, d'un couple à l'autre, tout se recoupe et s'enchaîne parfaitement. Cependant, pour comprendre dans son intégralité le sens des figures de Cimiez, il convient d'explorer d'autres chemins. Ils sont souvent malaisés et pleins d'embûches. Mais ils mènent au trésor royal par excellence.

LES VOIES DE L'ILLUMINATION

Les voies de l'Illumination ne se ressemblent pas. Toutes, pourtant, visent à rendre l'homme maître de l'énergie universelle. Par la seule vertu de la prière permanente, le mystique chrétien parviendra à s'arracher à la condition humaine immédiate. Pour atteindre le même résultat, le moine thibétain méditera pendant vingt ans dans une grotte glacée de l'Himalaya; le Yogi des Indes perfectionnera sans cesse les exercices lui assurant le contrôle absolu de son corps et de son esprit; le bouddhiste Zen apprendra à faire le vide total en lui-même; l'adepte des arts martiaux japonais se mesurera inlassablement avec un adversaire en qui il ne voit rien d'autre que son propre double projeté à l'extérieur.

Michel Random rappelle que Ueshiba Moreihei, créateur de l'Aïkido, avait repris à son compte les préceptes élaborés par le révérend Deguchi, fondateur de la secte Shinto nommée Omoto-Kyô:

« Observez les vrais phénomènes de la nature et vous penserez à la substance du seul vrai Dieu.

« Observez le fonctionnement impeccable de l'univers et vous penserez à l'énergie du seul vrai Dieu.

« Observez la mentalité des êtres vivants et vous concevrez l'âme du seul vrai Dieu. »

Sur ces bases, Ueshiba Moreihei mit au point une discipline rigoureuse, que l'Occident découvre depuis quelques années, et en fonction de laquelle l'homme apprend à retrouver les liens qui l'unissent aux forces cosmiques. En effet, « la référence à l'énergie comme manifestation de Dieu et de la création, signifie que la cause première de l'univers est la vitalité, et que tout ce qui existe n'est que la manifestation de cette vitalité.

« La connaissance de cette énergie première et universelle tient une place essentielle dans l'Aïkido, sous la forme du Ki. Dans la conception orientale, la création n'est que l'émanation d'une volonté originelle ou d'une omni-puissante énergie qui, du chaos, ordonne progressivement des masses de poussières ou de gaz, sous la forme des planètes, du soleil, de la lune, des étoiles et des galaxies. L'évolution de cette énergie créera le monde minéral, animal et végétal. Si cette énergie primordiale est nommée Ki, toutes choses viennent du Ki.

« Etant intemporel, le Ki n'a ni commencement ni fin, il n'a aucune forme et peut les revêtir toutes. Il est.

« L'Aïkido se définit comme la voie qui relie l'homme au Ki. Une telle vision de l'homme, en harmonie avec la force créatrice et originelle de toutes choses, est profondément créatrice de sérénité et de vie. « Celui qui gagne le secret de l'Aïkido, dit le maître Ueshiba, a l'univers en lui-même et peut dire: je suis l'univers » *(Michel Random: « Les arts martiaux ou l'esprit des Budô »).*

Ses disciples racontent que, peu de temps avant sa mort, Ueshiba, très affaibli, demanda à deux d'entre eux de le soulever de son lit. Ils ne purent y parvenir malgré tous leurs efforts. Le maître sourit alors et leur déclara d'une voix paisible: « J'ai fait la liaison de la terre avec le ciel. »

Cette ultime expérience d'un homme qui sut, toute sa vie durant, aller au delà du monde des simples apparences, permet de mieux comprendre le sens de l'aventure hermétique, car les alchimistes eux aussi n'ont jamais eu d'autre souci que d'établir la jonction pleine et entière entre l'homme et l'univers, le microcosme et le macrocosme, pour employer leur langage. La démarche alchimique demeure, cependant, très particulière dans la mesure où elle passe par une lente et laborieuse coction de la matière, ce qu'ignorent la mystique traditionnelle, le Yoga ou l'Aïkido.

L'ENIGME DE LA MATIERE PREMIERE

La question se pose donc de savoir quelle « matière » travaillent les Adeptes. Longtemps, la « tourbe » initiale constituant le point de départ du Grand Oeuvre, est restée mystérieuse, mais des recherches récentes ont permis de lever un pan du voile. Depuis les origines de l'Art Royal, cette « materia prima » a toujours été symbolisée par le dragon. Celui que nous trouvons justement à Cimiez, à droite et à gauche de la porte d'entrée de la sacristie du monastère.

Comme le note C. G. Jung (« Psychologie et Alchimie »): « Le dragon est une personnification des forces démoniaques de la nature. La puissance de la divinité ne se révèle pas que dans l'esprit, mais aussi dans la bestialité sauvage de la nature, à l'intérieur et à l'extérieur de l'homme ». Avant de prétendre atteindre les sommets, l'alchimiste doit d'abord effectuer sa descente aux enfers et vaincre la Bête.

Fulcanelli écrit de son côté, dans les « Demeures philosophales »: « Chargé de surveiller l'enclos merveilleux où les Artistes vont quêter leurs secrets, le dragon passe pour ne jamais sommeiller. Ses yeux ardents demeurent constamment ouverts. Il ne connaît ni repos ni lassitude, et ne saurait guérir de l'insomnie qui le caractérise et lui assure sa véritable raison d'être. »

Le plus célèbre des Adeptes contemporains, ajoute: « L'aspect général, la laideur reconnue du dragon, sa férocité et son singulier pouvoir vital, correspondent exactement avec les particularités externes, les propriétés et les facultés de la matière première. » La cristallisation spéciale de celle-ci « se trouve clairement indiquée par l'épiderme écailleux de celui-là. Semblables sont les couleurs, car la matière est noire, ponctuée de rouge ou de jaune, comme le dragon qui en est l'image. Quant à la qualité volatile de notre minéral, nous la voyons traduite par les ailes membraneuses dont le monstre est pourvu. »

Ce texte important nous livre, à travers les détours de son style allégorique, une indication précieuse: la matière première est bel et bien un minéral. Or, d'autres documents confirment cette affirmation de Fulcanelli, notamment le « Dialogue de la Nature », d'Aégidius de Vadis, selon lequel « on doit chercher le sujet propre à l'art hermétique dans le règne minéral seulement. » De même « Les clés de la philosophie spagyrique », de Le Breton, indiquent l'existence « d'un minéral connu des vrais savants qui le cachent, dans leurs écrits, sous divers noms et contenant abondamment le fixe et le volatil. »

En somme, tous les alchimistes suggérant le sel, le soufre, le vinaigre, le sang, la rosée, voire le poison, l'esprit, le nuage, le ciel, l'ombre, la mer, la lune ou Vénus se moquent aimablement des apprentis et cherchent à les égarer, ce qui est de bonne guerre dans un domaine hautement ésotérique, où les mystères ne sont dévoilés qu'avec parcimonie.

A l'issue d'une longue et minutieuse enquête, Jacques Sadoul (auteur du « Trésor des alchimistes ») est parvenu à la conclusion que le sujet des Sages, autrement dit la matière première, est un minerai métallique. Bien plus, un minerai courant qui, selon une formule de Fulcanelli, reprise par son disciple Eugène Canseliet, « est sans cesse auprès de nous et devant nos yeux, sous notre main. »

Après avoir étudié très soigneusement les documents les plus sérieux, Sadoul a acquis la certitude que la matière première ne peut être que le minerai du sulfure d'un métal. Et, évidemment, d'un métal connu au Moyen-Age. Dès lors, il faut choisir entre les possibilités suivantes: le cinabre, sulfure de mercure (HgS); l'argentite, sulfure d'argent (Ag2S); la galène, sulfure de plomb (PbS); la cogélite, sulfure de cuivre (CuS); l'orpiment, sulfure d'arsenic (AS4S6); la blende, sulfure de zinc (ZnS); la pyrite, sulfure de fer (FeS2) et la stibine, sulfure d'antimoine (Sb2S3).

Pour d'excellentes raisons, qu'il serait trop long de passer ici en revue, Jacques Sadoul élimine les six premiers candidats. Restent donc seul en course le sulfure de fer et le sulfure d'antimoine.

Lequel choisir?

Cette question délicate, différents chercheurs modernes se la sont posée. Il est remarquable de constater que leurs conclusions se rejoignent. La plupart d'entre eux admettent, en effet, que si le fer entre à coup sûr dans la composition de la « materia prima », l'antimoine ne doit pas pour autant en être exclu. Et il se rangent en définitive à l'avis de Jacques Bergier, qui a préconisé le recours à une pyrite de fer antimoniée.

LA CONCEPTION ALCHIMIQUE DE L'ENERGIE

Une fois entré en possession de sa matière première, qu'il doit aller chercher lui-même au coeur de la mine, l'alchimiste peut entreprendre le processus du

A Roquebillière, dans le département des Alpes-Maritimes, l'église Saint-Michel abrite un tableau dont l'auteur est inconnu mais que l'on peut dater, d'apres sa facture, du XVIIème siècle. L'intérêt de cette toile (médiocre sur le plan artistique et, de plus, en mauvais état de conservation) réside dans le fait qu'elle constitue un remarquable document alchimique. Un grand crucifix de bois, cloué sur l'encadrement, dissimule certains détails. Néanmoins les symboles encore apparents fournissent de précieuses indications.

Ce diagramme hermétique comprend à droite, un Saint Jean-Baptiste surmonté par la lune, et à gauche un Saint Pierre couronné par le soleil. Au centre une Vierge, presque entièrement masquée par la branche verticale de la croix, domine un croissant et un dragon à plusieurs têtes. On aperçoit également un miroir, un graal, une tour, une porte fermée, un jardin entouré de grilles et des représentations astrales. Dans l'ensemble, ce tableau offre un symbolisme alchimique voisin de celui des fresques de Cimiez.

Grand Oeuvre. Celui-ci consiste schématiquement à enrichir le sujet initial, à le sublimer en plusieurs étapes grâce à une maîtrise achevée de l'énergie sous toutes ses formes.

« L'immense difficulté, écrit fort justement Eugène Canseliet, est d'établir le contact et la collaboration, de manière permanente, avec le soleil, la lune, les planètes et les étoiles (...) qui continuent de dispenser généreusement à la terre toute l'action fluidique nécessaire à son existence. »

Figurant sur tous les cryptogrammes hermétiques, les représentations du soleil et de la lune (scènes A2, E1 et E2 de Cimiez), soulignent de façon très concrète le caractère cosmique de l'art alchimique. Mais Fulcanelli insiste en outre sur le fait qu'il existe, dans la matière même, une forme spécifique d'énergie dont les savants modernes oublient de tenir compte. « La chimie, constate-t-il, est incontestablement la science des faits, comme l'alchimie est celle des causes. La première, limitée au domaine matériel, s'appuie sur l'expérience, la seconde prend de préférence ses directives dans la philosophie. Si l'une a pour objet l'étude des corps naturels, l'autre tente de pénétrer le mystérieux dynamisme qui préside à leurs transformations. C'est là ce qui fait leur différence essentielle, et nous permet de dire que l'alchimie, comparée à notre science positive, seule admise et enseignée aujourd'hui, est une chimie spiritualiste, parce qu'elle nous permet d'entrevoir Dieu à travers les ténèbres de la substance.

« Au surplus, il ne nous paraît pas suffisant de savoir exactement reconnaître et classer des faits; il faut encore interroger la nature pour apprendre d'elle dans quelles conditions, et sous l'empire de quelle volonté, s'opèrent ses multiples productions. L'esprit philosophique ne saurait, en effet, se contenter d'une simple possibilité d'identification des corps; il réclame la connaissance du secret de leur élaboration. Entrouvrir la porte du laboratoire où la nature mixtionne les éléments, c'est bien; découvrir la force occulte sous l'influence de laquelle son labeur s'accomplit, c'est mieux. Nous sommes loin, évidemment, de connaître tous les corps naturels et leurs combinaisons, puisque nous en découvrons quotidiennement de nouveaux; mais nous en savons assez, cependant, pour délaisser provisoirement l'étude de la matière inerte et diriger nos recherches vers l'animateur inconnu, agent de tant de merveilles » *(« Les Demeures philosophales », Tome I).*

Pour Fulcanelli, cette force occulte, cet animateur inconnu, c'est le feu. Autrement dit, l'un des aspects de l'énergie universelle. A partir d'une série d'exemples précis, le célèbre Adepte démontre que le principe igné se trouve partout. Même là où on s'attend le moins à le trouver.

Tous les manuels disent que pour obtenir de l'eau (H2O), il suffit de combiner deux volumes d'hydrogène et un volume d'oxygène. Or il est impossible, dans la pratique, de recueillir la moindre goutte d'aqua simplex si l'on se contente de mettre en contact, dans un ballon de verre, des proportions adéquates d'hydrogène et d'oxygène. La réaction ne s'effectue que si l'on a recours à une étincelle ou à un corps pouvant être porté à incandescence.

En conséquence, « la formule chimique de l'eau, est sinon fausse, du moins incomplète et tronquée. L'agent élémentaire feu étant exclu de la notation chimique, la science entière s'avère lacuneuse et incapable de fournir, par ses formules, une explication logique et véritable des phénomènes étudiés. »

Mais Fulcanelli pousse plus loin son avantage. Il en vient à la lumière, « feu raréfié et spiritualisé. » L'acide chlorhydrique s'obtient par la combinaison de deux volumes égaux de chlore et d'hydrogène. Soit! Reprenons donc notre ballon de verre. Introduisons à l'intérieur du chlore et de l'hydrogène en respectant méticuleusement les dosages prescrits. Plaçons le ballon dans un placard bien obscur. Il ne se passe rien. Le chlore refuse d'épouser l'hydrogène et vice-versa.

Sortons maintenant le ballon du placard et exposons-le aux rayons d'un soleil franc et généreux. Une violente explosion secoue la pièce et notre cornue vole en éclats. La conjonction des deux composants de l'acide chlorhydrique s'est faite avec fracas.

Cette mésaventure suggère à Fulcanelli le commentaire suivant: « On nous objectera que le feu, considéré comme un simple catalyseur, ne fait pas partie intégrante de la substance, et qu'en conséquence on ne peut point le signaler dans l'expression des formules chimiques. L'argument est plus spécieux que véritable, puisque l'expérience elle-même l'infirme. Voici un morceau de sucre, dont l'équation ne porte aucun équivalent de feu; si nous le brisons dans l'obscurité, nous en verrons jaillir une étincelle bleue. D'où provient-elle? Où se trouvait-elle enclose, sinon dans la structure cristalline de la saccharose? »

D'autres exemples?

Une parcelle de potassium jetée dans un verre d'eau s'enflamme aussitôt. Des étincelles jaillissent d'une tige de ferraille placée au contact d'une meule tournant à toute vitesse. Nombre de liquides sont des réservoirs de feu en puissance. De même l'électricité circule sans histoire le long de son conducteur et ne révèle son énergie qu'au moment où, rencontrant une résistance, elle embrase le filament de l'ampoule.

Bref, « il serait puéril de soutenir que le feu, parce que nous ne pouvons le percevoir directement dans la matière, ne s'y trouve pas réellement à l'état latent (...) Ainsi, le seul reproche que l'on puisse adresser à la science chimique, c'est de ne point tenir compte de l'agent igné, principe spirituel de base de l'énergétisme, sous l'influence duquel s'opèrent toutes les transformations matérielles. C'est l'exclusion systématique de cet esprit, volonté supérieure et dynamisme caché des choses, qui prive la chimie moderne du caractère philosophique que possède l'ancienne alchimie. »

En somme, pour les tenants de l'Art Royal, le Feu, qui se définit comme l'une des manifestations de l'énergie universelle, se dissimule partout dans les divers éléments de la nature. Il conserve la même intensité potentielle aussi bien « en haut » qu'« en bas ». Le grand secret de l'Adepte sera de savoir le capter à tous les niveaux, afin d'utiliser sa force méconnue au cours des longues coctions destinées à sublimer la matière première.

Les alchimistes affirment avec force qu'il n'y a pas de différence fondamentale entre le feu de leur fourneau, celui du soleil ou de la lune, le rayonnement cosmique en général et le principe igné présent au sein des divers corps qu'ils travaillent dans le silence de leur laboratoire. Pour eux, l'énergie constitue un tout indivisible; elle participe non seulement de la matière mais aussi de l'esprit.

Le plus étonnant c'est que certains représentants de la science officielle commencent, aujourd'hui, à se demander s'ils n'ont pas eu tort de snober les vieux sages.

REALITE DES TRANSMUTATIONS MODERNES

« La science a repris le chemin des alchimistes, note Jacques Bergier, le jour où elle a admis que l'atome n'était pas la plus petite partie de la matière. Avec la découverte des particules élémentaires, la transmutation devenait possible. Elle est, de nos jours, un fait presque banal et l'on n'en donnera pour preuve que la fabrication annuelle dans le monde de centaines de kilos de plutonium, élément qui n'existe normalement pas dans la nature. »

Dans un livre où il n'est pas question d'alchimie, Clément Buval, directeur scientifique au CNRS, rappelle que l'on peut obtenir de l'or radioactif par la désintégration de l'isotope 189 du mercure. L'expérience a été réussie pour la première fois par Sherr, Bainbridge et Anderson. Toujours à partir du mercure, il est possible d'aboutir au platine et au thallium.

Malgré la réalité de ces transmutations, beaucoup de savants manifestent encore des réticences. L'art hermétique? Soyons sérieux! Ce n'est qu'un rêve. L'astrophysicien américain Robert Jastrow écrit notamment: « Le nombre d'électrons d'un atome dépend absolument du nombre de protons du noyau. Si l'on réussissait, d'une façon ou d'une autre, à déloger d'un atome de plomb trois des protons de son noyau, le noyau qui en résulterait, ne contenant plus que 79 protons, serait celui d'un atome d'or.

« Mais il est impossible de déloger facilement les protons du noyau. Les flammes du four de l'alchimiste ne peuvent que liquéfier une barre de plomb en brisant les liens qui enchaînent les atomes les plus voisins. Si le brasier est assez ardent, peut-être certains atomes perdront-ils un électron. Mais même privé d'un électron, un atome de plomb reste un atome de plomb (...)

« On ne peut changer la nature d'un élément qu'en ajoutant ou en retranchant des protons au noyau. Mais la force qui contraint le proton à demeurer dans le noyau est, de loin, plus puissante que celle qui enchaîne l'électron à l'atome, ou celle qui cimente entre eux les atomes pour en faire de la matière solide. Le proton est si étroitement emprisonné à l'intérieur du noyau, que seule une force exceptionnellement puissante pourra l'en déloger. Un banal coup de marteau n'y fera rien, car le marteau ne peut traverser le mur des électrons de l'atome pour atteindre le noyau en plein centre. Pour obtenir ce résultat, il faudra recourir à une collision avec une autre particule infime, douée d'une vitesse suffisante pour forcer la barrière électronique entourant le noyau. » *(R. Jastrow: « Des Astres, de la Vie et des Hommes »).*

Faut-il en rester là?

Certainement pas. L'affirmation de Jastrow selon laquelle la transmutation exige obligatoirement le déploiement d'une formidable énergie, est contredite par les découvertes du biologiste Kervran qui a mis en évidence l'existence de transmutations « douces » dans la matière organique. Un exemple: privée du calcaire nécessaire à l'élaboration de la coquille de son oeuf, une poule de basse-cour à qui l'on donne à manger du mica, transforme tout naturellement en calcium ce silico-aluminate de potassium. Et ceci sans manifester une fièvre de cheval!

Conclusion: il existe sans aucun doute des modes de transmutation (encore mal connus) qui n'exigent ni appareillage sophistiqué, ni bombardements spectaculaires à grands coups de particules accélérées. Les alchimistes le savaient. Ils l'ont prouvé dans leurs modestes laboratoires moins bien équipés qu'une cuisine moderne. Leur secret résidait dans la connaissance qu'ils avaient d'une forme d'énergie permettant, comme le note l'ingénieur Georges Ranque, « d'obtenir des effets dépassant les lois habituelles de la physique et de la chimie. » Une forme d'énergie, qu'ils assimilaient à un flux vital de nature à la fois matérielle et spirituelle, existant depuis le début du monde et participant de l'éternité.

LES AUDACES D'UN PHYSICIEN PAS COMME LES AUTRES

Cet influx vital, un physicien français vient peut-être d'en percer le mystère. Il s'appelle Jean Charon. Spécialisé dans la recherche nucléaire, il a travaillé au Commissariat à l'Energie Atomique de Saclay, avant de se consacrer à l'approfondissement de la théorie de la relativité complexe. L'alchimie est le cadet de ses soucis. Il ne s'intéresse qu'aux prolongements de l'oeuvre d'Einstein. Il avoue cependant s'être toujours

« senti très mal à l'aise devant le programme "réductionniste" des physiciens de notre époque, qui s'efforcent volontairement de construire une physique laissant l'Esprit à la porte. »

Dans un livre audacieux, Jean Charon propose une extraordinaire exploration hors des sentiers battus et — sans qu'il l'ait cherché — fournit une série d'arguments remarquablement favorables aux conceptions de la philosophie hermétique. [1]

Selon J. Charon, certaines particules élémentaires de la matière — insécables (sauf accident) et pratiquement éternelles — possèdent une nature duelle. « Elles enferment un espace-temps de l'Esprit coexistant avec l'espace et le temps dans lequel toute la physique, depuis Aristote, s'est efforcée de décrire la matière et son évolution. Alors que nous avons cru, jusqu'ici, à l'existence d'un espace-temps « simple », voici que se découvre un espace-temps « double »; dans celui-ci existe un espace-temps de l'Esprit, à côté de l'espace-temps traditionnel de la matière. »

Ces particules ce sont les électrons, de minuscules objets sphériques rigoureusement clos, dont le diamètre ne dépasse pas un millième de milliardième de millimètre et qui gravitent autour du noyau de l'atome.

Les électrons, d'après la théorie de J. Charon, offrent une structure semblable à celle des « trous noirs » dont les astronomes ont repéré la trace dans l'univers.

Qu'est-ce qu'un « trou noir »?

« Les étoiles, explique notre physicien, naissent, vivent et meurent, tout comme les hommes. On dit qu'une étoile approche de sa mort quand son feu intérieur, alimenté par les réactions thermonucléaires prenant place dans le corps de l'étoile, finit par s'éteindre car tout son combustible a brûlé. »

---

(1) Jean Charon: « L'Esprit cet inconnu » 1978.

Au cours de sa période d'extinction, l'étoile se « recroqueville » puis s'effondre. Ses particules de matière se tassent alors et « finissent par se fondre en un magma de densité énorme. C'est à ce stade qu' apparaît le « trou noir ». L'espace de l'étoile se courbe au point de se refermer sur lui-même. Nous sommes dès lors en présence non plus d'un univers, mais de deux univers: notre grand univers, qui a son propre espace fermé sur lui-même, avec un rayon de milliards d'années lumière, puis venant comme se juxtaposer à cet espace (à la manière d'une bulle se formant sur la peau d'un énorme ballon) un « oeuf » comme enfanté par notre propre univers, un espace qui forme un tout à lui tout seul, avec lequel notre univers n'aura plus qu'un « point » de contact. » Cet oeuf c'est le « trou noir. »

A l'intérieur de l'oeuf, l'espace et le temps n'ont plus rien de commun avec l'espace et le temps ordinaires. La matière, en particulier, ne connaît plus la moindre perte d'énergie. D'autre part, aucun échange d'énergie ne se fait désormais avec l'extérieur. Les particules qui viendraient à être absorbées par le « trou noir » ne pourraient plus en sortir. Elles seraient automatiquement soumises aux lois de leur nouveau milieu. Des lois impliquant un temps qui n'a ni commencement ni fin.

Les « trous-noirs » étant ce qu'ils sont, c'est-à-dire des sortes de « poches » situées en dehors de notre continuum espace-temps, les astronomes n'ont aucun moyen de les voir. Ils parviennent toutefois à les localiser en observant le « sillage » qu'ils laissent dans notre univers apparent.

Pour Jean Charon, l'électron est assimilable à un « micro trou noir », dans la mesure où il constitue lui aussi un véritable univers dont l'espace est complètement isolé de l'espace extérieur. « Aucun objet ne peut pénétrer ou sortir de cet espace. C'est un espace isolé. »

Pourtant, les électrons pratiquent entre eux des échanges d'informations, « suivant un principe identique à celui utilisé dans l'interaction à distance, purement électrostatique. » Parce qu'ils s'effectuent entre deux espaces-temps non réductibles à l'espace-temps habituel de la matière, Jean Charon estime que ces échanges doivent être assimilés à des communications de nature « spirituelle ». Tout se passe en effet ici dans un ordre de choses différent de celui que nous pouvons observer au niveau de notre continuum normal. Les « trous noirs » comme les électrons nous introduisent dans une autre dimension. Celle de l'Esprit. Il faut donc admettre que l'aventure de l'univers n'est pas seulement celle de la matière.

Avec cette théorie, la métaphysique entre de plain-pied dans la Physique. Pour Jean Charon, l'esprit ne saurait être dissocié de la matière, ni la matière de l'esprit, et l'électron immortel constitue le maillon unissant ces deux mondes (bien réels l'un et l'autre) que des conceptions trop étroites avaient cru pouvoir séparer.

Dans cette nouvelle perspective, l'influx vital de nature à la fois matérielle et spirituelle dont parlent les alchimistes, n'apparaît plus comme une illusion entretenue par de doux illuminés. Il s'agit, au contraire, d'une fantastique intuition annonçant, très longtemps à l'avance, l'une des découvertes les plus spectaculaires de la science moderne.

III

Dans le cryptogramme de Cimiez, le caractère cosmique de l'alchimie est confirmé sans ambiguïté par le miroir de la figure D2. « Le mot latin speculum (miroir) a donné le nom de spéculation. A l'origine spéculer c'était observer le ciel et les mouvements relatifs des étoiles, à l'aide d'un miroir. Sidus, qui en latin veut dire étoile, a également donné considération, qui signifie étymologiquement regarder l'ensemble des étoiles. Ces deux mots abstraits, qui désignent aujourd' hui des opérations hautement intellectuelles, s'enracinent donc dans l'étude des astres reflétés par des miroirs. De là vient que le miroir, en tant que surface réfléchissante, soit le support d'un symbolisme extrêmement riche dans l'ordre de la connaissance. » (Dictionnaire des symboles).

S'il nous rappelle que les alchimistes ont toujours pratiqué l'astrologie, le miroir de Cimiez souligne également le fait que l'Art hermétique a pour but d'aboutir à la sagesse et au savoir absolus. Le Cosmopolite, un Adepte fameux du XVIIème siècle, dit en effet: « Au royaume du soufre, existe un miroir dans lequel on voit tout le monde. Quiconque regarde ce miroir peut y voir les trois parties de la sagesse de tout le monde et, de cette manière, deviendra savant dans ces trois règnes, tels que le furent Aristote, Avicenne et plusieurs autres qui, de même que le reste des Maîtres, virent dans ce miroir comment le monde fut créé. »

Tel est bien le fond du problème. Les alchimistes ont toujours cherché à remonter jusqu'à la cause première. Non par simple curiosité, mais parce qu'ils estimaient qu'il leur appartenait de racheter, au moins en partie, les conséquences d'un terrible accident ayant affecté l'histoire de la création divine. Ce que nous appelons la Chute ou encore le péché originel.

DIEU A BESOIN DES HOMMES

Dans son ouvrage « Psychologie et Alchimie », C. G. Jung a fort bien mis en évidence ce ressort fondamental du Grand Art. Pour bien comprendre de quoi il est question ici, il convient de reprendre le texte de la Genèse.

Quand Adam et Eve eurent mangé du fruit de l'arbre de la Connaissance du Bien et du Mal, l'Eternel dit à la femme: « J'augmenterai la souffrance de tes grossesses, tu enfanteras dans la douleur, et tes désirs se porteront vers ton mari, mais il dominera sur toi. »

Il dit à l'homme: « Le sol sera maudit à cause de toi. C'est à force de peine que tu tireras ta nourriture tous les jours de ta vie, il te produira des épines et des ronces, et tu mangeras de l'herbe des champs. C'est à la sueur de ton visage que tu mangeras du pain, jusqu'à ce que tu retournes dans la terre, d'où tu as été pris; car tu es poussière et tu retourneras à la poussière.

« Adam donna à sa femme le nom d'Eve, car elle a été la mère de tous les vivants.

« L'Eternel Dieu fit à Adam et à sa femme des habits de peau, et il les en revêtit. »

Ce passage de la Bible signifie, bien entendu, qu'en raison de leur faute, Adam et Eve ont été condamnés, ainsi que tous leurs descendants, à régresser dans la matière et à perdre le bénéfice de l'état édenique accordé, le sixième jour, par Dieu à sa plus belle créature. Celle qu'il avait modelée à son image. Celle qui participait le plus de sa nature ineffable et sans tache. Mais pour les alchimistes, cet exil du premier couple dans une matière flétrie par la malédiction du Créateur, a fait une victime inattendue: Dieu lui-même.

Celui-ci avait conduit son oeuvre en fonction de sa propre gloire et de sa propre harmonie. En faisant chuter Adam et Eve, Satan est parvenu à ternir tout ce que l'Eternel avait conçu et réalisé. La création, dans son ensemble, s'est enlisée dans l'imparfait, le précaire et le relatif. Dieu lui aussi figure parmi les vaincus provisoires.

En conséquence, estiment les alchimistes, l'effort de rédemption doit permettre de libérer aussi bien Dieu que les hommes. Les élus, capables de comprendre le mystère de la Chute, ont pour mission de rendre à l'Eternel toute la splendeur qu'il a accepté de perdre — du moins partiellement — en reléguant l'humanité dans un monde matériel ramené au chaos. Pour cela, une seule solution: réintégrer l'Esprit dans la matière afin qu'elle récupère sa pureté première.

Dans la conception chrétienne, Dieu a voulu ouvrir la voie du salut en envoyant son Fils s'incarner au coeur même de l'univers déchu. De fait, quand le croyant communie par le pain et le vin consacrés, il ne réactualise pas seulement le sacrifice du Christ, mais s'avance d'un pas sur la route de sa propre rédemption. Dans la conception alchimique, il importe d'aller encore plus loin, « car ce n'est pas l'homme qui a en premier besoin de rachat, mais la parcelle de la divinité qui est perdue et sommeille dans la matière. » Aussi l'Adepte va-t-il s'acharner à sublimer cette matière, afin qu'elle s'élève par ses soins jusqu'au niveau de l'âme divine.

Comme écrit Jung, « grâce à la sagesse et à l'art qu'il a acquis par lui-même ou que Dieu lui a accordés, l'alchimiste délivre le Logos, créateur du monde et perdu dans la matérialité du monde, et ce pour le salut de l'humanité. » Bref, la philosophie hermétique soutient que Dieu a besoin des hommes. Autant qu'ils ont besoin de lui.

LA PORTE DES MYSTERES

En raison des buts qu'elle s'assigne et des méthodes qu'elle emploie, l'alchimie est exactement le contraire d'un savoir de masse. Elle demeure — et demeurera — secrète, initiatique et magique. C'est ce que symbolise, au monastère de Cimiez, la figure D1, représentant une porte fermée. L'Adepte travaille toujours à huis-clos. Il peut tout au plus tolérer la présence, à ses côtés, d'un ou deux disciples fervents. Quand il écrit, il masque ses mots.

Mais cette porte close signifie également que l'Artiste, s'il veut parvenir au terme de son oeuvre, doit franchir le seuil périlleux donnant accès aux mystères de la nature. Cette nature qu'il entend réintégrer dans son harmonie originelle, à l'issue d'un processus extraordinairement difficile, qui consiste, en définitive, « à reprendre la création ». Comme le note Eugène Canseliet, l'alchimiste dispose au départ de la matière en son chaos. Peu à peu, au prix d'efforts considérables, il va lui rendre « l'esprit de vie », indispensable et latent qu'elle possédait à l'origine.

Le fumier sur lequel pousse une fleur de lis (figure C1) symbolise parfaitement cette métamorphose qui va conduire la « materia prima », vile et putride, jusqu'à l'objet philosophique portant en lui les promesses de la Pierre.

Si l'on veut comprendre quelque chose aux arcanes du Grand Oeuvre, il faut se pénétrer de l'idée que les alchimistes n'ont pas, sur la nature, les mêmes vues qu'un botaniste, un biologiste ou un géologue modernes. Pour eux, l'univers est vivant. Bien plus, il est susceptible d'augmenter son potentiel vital. « De même que l'homme, écrit Eugène Canseliet, le monde est soumis à l'inéluctable trajectoire physique qui va de la naissance à la mort. C'est seulement par le Grand Oeuvre qu'il est possible d'échapper ici-bas, à l'inexorable tracé de la courbe fatale, tout d'abord ascendant, ensuite descendant et régressif, de se soustraire au processus inévitable de la naissance, de la jeunesse, de la maturité, de la vieillesse qu'achèvent la décrépitude et la mort ».

Dans la pratique du travail alchimique, l'Adepte va se donner pour but de ramener le minéral d'élection aussi près que permis de l'état primordial. En langage hermétique, une telle opération porte le nom de « réincrudation ».

Précisant le sens de ce terme, Fulcanelli déclare: « réincruder signifie rendre " cru ", c'est-à-dire remettre dans un état antérieur à celui qui caractérise la maturité; rétrograder vers l'origine et le principe ». Une fois réincrudé, un métal vulgaire devient vivant et « philosophique ». Il possède alors les vertus spécifiques qui l'autorisent à jouer son rôle dans les coctions alchimiques.

Quand il procède à la réincrudation, l'alchimiste ne pense pas une seconde qu'il se livre sur la matière à une action artificielle. Il ne fait, au contraire, que copier la nature. Pour lui la terre, en effet, entretient des rapports très particuliers avec les éléments chimiques en général et plus spécialement avec les minéraux. « Elle les couve dans son sein, comme la mère porte l'enfant non né », affirme Basile Valentin, qui ajoute: « la terre n'est pas un corps mort, mais elle est habitée par l'esprit qui est la vie et l'âme de la terre. Cet esprit est nourri par les étoiles et il nourrit tous les êtres vivants ».

Un autre Adepte, Michael Maier, expose une conception voisine: « par ses millions de révolutions autour de la terre, le soleil a filé l'or dans la terre. Le soleil a peu à peu imprimé son image dans la terre. Le soleil est l'image de Dieu, le coeur est l'image du soleil dans l'homme, de même l'or est l'image du soleil dans la terre ».

Dans ces conditions, la tâche de l'Artiste — en tant que praticien de la science des causes — sera de faire germer l'esprit enfermé (tel une perle dans sa coquille) au sein du métal vil qui sert de matière première. D'où le nom d'Agriculture céleste qui a été souvent donné à l'alchimie, dont les techniques visent à accélérer la « pousse » de la matière endormie depuis la Chute.

LES SECRETS DU LABORATOIRE

Il serait plus facile d'escalader l'Everest à bicyclette que de décrire en détail ce qui se passe dans le laboratoire d'un alchimiste. Rien ne nous interdit en revanche, à partir des documents les plus fiables, de tenter une reconstitution des phases principales conduisant au Grand Oeuvre. A condition, évidemment, d'admettre que nous n'avons aucune chance de percer le secret des manipulations essentielles, au sujet desquelles les auteurs restent muets, quand ils ne cherchent pas à égarer leurs lecteurs par des « révélations » trompeuses.

La première opération consiste à se procurer une quantité suffisante de « materia prima » (autrement dit de pyrite de fer antimoniée), directement prélevée au coeur d'un filon judicieusement choisi. Selon l'expérimentateur contemporain Armand Barbault, qui a décrit dans « L'or du millième matin » ses entreprises couronnées d'un succès partiel, la prise de possession du minéral est un acte important, préparé de longue date par une étude astrologique afin que les propriétés de la matière initiale coïncident avec la personnalité et le tempérament de l'alchimiste.

Celui-ci a aménagé, auparavant, dans un coin paisible de campagne, le lieu où il est appelé à travailler pendant de longues années, loin du tumulte des cités et libéré de tout souci financier. L'équipement de son laboratoire comporte notamment un fourneau (l'athanor), capable de fonctionner avec une extrême régularité durant des périodes pouvant atteindre plusieurs semaines, sinon davantage. Le reste de son matériel est comparable à celui dont dispose, dans n'importe quel établissement scolaire, un professeur de sciences naturelles ayant à effectuer des démonstrations pratiques devant ses élèves.

L'Oeuvre proprement dit se déroule, selon l'ingénieur Georges Ranque, « dans un matras de verre, épais, clair, fermé de manière parfaite, et de faibles dimensions ». Ce récipient affecte la forme d'un ballon surmonté d'un col assez long. Il mesure environ 15 cm de hauteur et 5 cm en moyenne dans sa plus grande largeur. La température la plus élevée à laquelle on peut maintenir longuement un vase de cette nature, fabriqué selon les méthodes anciennes, n'excède pas 500 degrés centigrades. Tout au long du processus alchimique, l'énergie fournie par l'athanor se combinera avec l'énergie cosmique, l'énergie latente dans la matière (le principe igné) et celle émanant de l'opérateur lui-même, car il ne faut pas oublier que celui-ci intervient, dans ce fantastique concert, comme un chef d'orchestre qui jouerait également d'un des principaux instruments.

L'étude attentive des textes les plus significatifs permet de conclure que l'Oeuvre ne saurait commencer à n'importe quel moment de l'année. Le travail alchimique doit en effet débuter à l'époque où les forces de l'univers atteignent un point culminant, c'est-à-dire au mois de mai, quand, selon l'expression de Jacques Sadoul, « la terre et l'air sont chargés de l'influx céleste du renouveau ».

Durant cette période, l'Artiste recueille, sur des toiles tendues au dessus d'un pré, de grandes quantités de rosée qu'il stocke dans des bonbonnes soigneusement stérilisées. Pendant ce temps, il entreprend de broyer sa matière première au creux d'un mortier de pierre. Puis il chauffe sur son athanor, selon certains critères fort difficiles à définir, quelques litres de rosée de façon à obtenir une substance essentielle qui, chimiquement, est un sel et à laquelle on donne le nom de « lait de la Vierge ».

Nettoyée, décantée et pulvérisée, la matière première est ensuite mélangée, d'une part, avec ce « lait de Vierge » et, d'autre part, avec un agent baptisé « feu secret » qui, d'après plusieurs chercheurs modernes, est un sel double de potassium (nitrate et tartrate). Le sel double a été soumis, au préalable, à un traitement destiné à le rendre « philosophique », en sorte qu'il ne s'agit plus d'un produit tel que l'on pourrait le trouver dans le commerce .

Longtemps ce traitement est demeuré énigmatique. Il semble qu'aujourd'hui on puisse s'en faire une idée relativement précise. Dans son ouvrage, « Le trésor des alchimistes », Jacques Sadoul a révélé que l'opération permettant de donner à un corps quelconque un pouvoir « philosophique », relève de la physique et non de la chimie. Jacques Bergier, pour sa part, affirme qu'il faut le soumettre à l'action d'une lumière polari sée, « soit une faible lumière solaire réfléchie sur un miroir, soit la lumière de la lune ». Cette opinion mérite d'être prise en considération, lorsqu'on sait « que la lumière polarisée vibre dans une seule direction, tandis que la lumière normale vibre dans toutes les directions autour d'un axe ».

A l'issue d'une série de manipulations très complexes, constituant l'introduction à l'Oeuvre proprement dit, l'alchimiste va s'efforcer d'obtenir ce que l'on nomme le « Mercure philosophique », une substance, soulignons-le nettement, qui n'a rien à voir avec le métal liquide grimpant dans la colonne de nos thermomètres médicaux.

Le Mercure philosophique constitue l'un des mystères les plus impénétrables de l'Art Royal. La plupart des scientifiques qui se sont interrogés sur sa nature, ont pensé qu'il est étranger à la matière première. C'est une lourde erreur. Comme le souligne J. Sadoul, il ne peut provenir que de la « materia prima » et, « sur ce point particulier, la difficulté ne gît pas dans l'identification du produit, mais dans le tour de main spécial nécessaire pour arriver à l'extraire du minerai des Sages ». Une extraction qui se fait, sans aucun doute, sous l'influence du « feu secret », le sel double de potassium évoqué plus haut.

Pour obtenir son Mercure philosophique, l'Adepte procède à des sublimations réitérées et recourt, en outre, à la chaleur dégagée par son athanor. Ce passage au feu, Fulcanelli le souligne, présente d'ailleurs de réels dangers, car il est fréquent que se produisent alors des projections enflammées.

L'élaboration du Mercure philosophique marque la fin du « Premier Oeuvre », nommé également « Oeuvre au noir ». Parvenu à ce stade l'alchimiste a fait un sérieux pas en avant, mais il n'est pas au bout de ses peines. Loin de là.

LA SUBSTANCE HERMAPHRODITE

Avec le deuxième Oeuvre, ou « Oeuvre au blanc », les opérations ne tardent pas à devenir singulièrement plus obscures. La matière première, de « vile et puante » qu'elle était au départ, a atteint l'état de « matière prochaine ». Il reste maintenant, à l'aide du Mercure philosophique et du Lait de la Vierge, à la transformer en « rebis ».

Qu'est-ce que le « rebis »?

Littéralement, cette expression latine désigne la « chose double », l'hermaphrodite philosophique, la substance à la fois mâle et femelle au sein de laquelle s'effectuera, plus tard, le « mariage » des parents de la Pierre, noces que symbolise à Cimiez l'anneau orné d'un joyau étincelant. Cet androgyne minéral nous entraîne au coeur même des secrets du Grand Oeuvre, car avec le « rebis » nous sommes désormais en présence d'un corps n'existant pas dans la nature. Nous avons affaire à une pure création de l'Art, rebelle à toute approche étroitement scientifique.

Dans leurs écrits, les alchimistes classiques font toujours allusion à la « chose double » de façon allégorique ou métaphorique. Ils se gardent bien de fournir des indices précis pouvant satisfaire nos curiosités, trop cartésiennes à leur goût. Dans ces conditions, nous devons nous contenter de savoir que la matière hermaphrodite contient deux principes contraires et néanmoins complémentaires: le « Soufre », appelé aussi « Soleil métallique », mâle et actif; le « Mercure » ou « Lune hermétique », féminin et passif, qu'il ne faut surtout pas confondre avec le mercure ordinaire ni avec le mercure philosophique.

L'apparition du « rebis » dans le matras se définit comme un moment essentiel du deuxième Oeuvre, mais celui-ci culmine quand se manifeste la couleur caractéristique de l'argent, c'est-à-dire le blanc. Fulcanelli note à ce propos :« Artéphius, Nicolas Flamel, Philalèthe et quantité d'autres maîtres enseignent qu'à cette phase de la coction, le rebis offre l'aspect de fils fins et soyeux, de cheveux étendus à la surface et progressant de la périphérie vers le centre. D'où le nom de blancheur capillaire qui sert à désigner cette coloration. La lune, disent les textes, est alors dans son premier quartier. Sous l'influence du feu, la blancheur gagne en profondeur, atteint toute la masse et vire, en surface, au jaune citron. C'est la pleine lune; le croissant s'est amplifié jusqu'à former le disque lunaire parfait: il a complètement rempli l'orbe ». *(« Demeures philosophales »).*

Avec ce festival coloré, s'achève ce que l'on nomme le Petit Magistère. Si l'alchimiste, pour une raison ou une autre, s'estime incapable de pousser sa quête plus avant, il peut se contenter de multiplier, par dissolutions et coagulations successives, la matière ainsi obtenue. Il disposera, à la longue, d'huiles et de produits possédant certaines vertus curatives, fort éloignés toutefois de la « médecine universelle ».

LE TROISIEME OEIL

Le troisième Oeuvre représente la dernière étape de la conquête de la Pierre philosophale. C'est le Grand Magistère; le plus mal connu, le plus impénétrable. En théorie, il s'agit seulement de pousser le rebis jusqu'à son stade de perfection, de provoquer les « noces alchymiques du Roi et de la Reine, du

Soleil et de la Lune hermétiques ». En pratique, les opérations, d'une haute complexité, réclament énormément de travail, de patience et d'ascèse. Elles peuvent aussi bien s'étaler sur plusieurs années et, de toutes les façons, elles exigent de l'Artiste qu'il sache se maintenir dans un état spirituel d'éveil constant et de réceptivité intense. A ce niveau, des rapports énergétiques fort subtils s'établissent entre l'alchimiste et son compost. Pour cette raison, il n'est pas possible de décrire la technique du troisième Oeuvre. Les différents modes opératoires ne se réduisent plus, en fait, à des manipulations, aussi savantes soient-elles; les choses se passent désormais dans un climat voisin de l'état de grâce.

De tous les grands auteurs hermétiques, Philalèthe est celui qui a évoqué, avec le moins de réticences, les étapes du Grand Magistère. Il distingue sept « régimes », au terme desquels l'Adepte se trouve en possession d'une Pierre philosophale inachevée.

« Cependant, souligne Philalèthe, quand tu seras parvenu jusqu'ici, ne t'imagine pas que ce soit la fin de tes travaux et que tu n'aies plus rien à faire; car tu dois encore passer outre, réitérer et faire une nouvelle fois la circulation de la roue, afin que de ce « soufre » incombustible tu aies l'élixir ». Autrement dit, la pierre embryonnaire doit être soumise à nouveau à un cycle alchimique complet, comme si elle constituait une autre « matière première ». Mais ainsi que le constate judicieusement Jacques Sadoul, une difficulté sérieuse surgit ici, car les philosophes « n'indiquent pas s'il faut recommencer les opérations à partir du premier oeuvre, ou simplement du deuxième ou du troisième ».

Quoiqu'il en soit, l'alchimiste capable de surmonter cette dernière épreuve peut espérer, si sa coction se déroule normalement, obtenir la Pierre philosophale qui, selon l'expression de Henri Kunrath, est « un corps glorifié, c'est-à-dire régénéré et plus que parfait ».

Le processus que je viens de résumer correspond à ce que l'on nomme la « voie humide », la plus courante et la plus longue aussi, puisqu'elle implique, dans la meilleure hypothèse, trois à quatre années d'efforts; certains Artistes moins heureux que d'autres n'ayant d'ailleurs atteint le but qu'après quinze ans de labeur et de tâtonnements. Mais il existe une autre méthode, la « voie sèche », rapide, expéditive même, qui permet d'accéder au couronnement du Grand Magistère en moins d'une semaine. Encore plus secrète que la première, cette démarche, faisant appel à de très hautes températures, se révèle extrêmement dangereuse. Seuls peuvent l'utiliser des Adeptes confirmés, capables de manier, sans la moindre hésitation, un compost toujours prêt à exploser avec la violence d'une bombe atomique en réduction.

Qu'il ait choisi la Voie humide ou la Voie sèche, l'alchimiste ayant réussi à atteindre la Pierre philosophale, possède définitivement la maîtrise de l'énergie. Elevé au niveau de grand initié, il se trouve propulsé dans une autre dimension humaine. Il découvre qu'il a tué en lui le vieil homme et ouvert, dans sa conscience, ce que les orientaux appellent le troisième oeil. Il retrouve le temps de l'Age d'or et renoue avec les vérités primordiales. De son vivant, comme le mystique, il entre de plain-pied dans l'absolu. Il accède au seuil souverain des mystères.

LA PIERRE PHILOSOPHALE

La Pierre philosophale (symbolisée à Cimiez par la rose de la figure C 2) se présente — les meilleurs traités sont sur ce point concordants — sous l'aspect d'une poudre cristalline de couleur rougeâtre. « Sa fusibilité, souligne Fulcanelli, est telle que tous les auteurs l'ont comparée à celle de la cire (64 degrés centigrades). Elle fond à la flamme d'une chandelle, répètent-ils. Certains, pour cette raison, lui ont même donné le nom de grande cire rouge. A ces caractères physiques, la Pierre joint de puissantes propriétés chimiques, le pouvoir de pénétration, l'absolue fixité, l'inoxydabilité, une résistance extrême au feu, enfin son irréductibilité et sa parfaite indifférence à l'égard des agents chimiques ».

La Pierre philosophale proprement dite, constitue la « Médecine universelle » ou « l'élixir de longue vie » des alchimistes. Dissoute en petite quantité dans de l'alcool, elle prend le nom d'« or potable » et devient utilisable « pour la guérison des maladies humaines, la conservation de la santé et l'accroissement des végétaux. » Selon Fulcanelli, « la diversité de son emploi thérapeutique en fait un auxiliaire précieux dans le traitement des affections graves et incurables ».

Certains alchimistes, ayant tenté d'augmenter les pouvoirs de la Pierre philosophale, ont fini par obtenir une substance « fluide comme le vif-argent et incoagulable, qui brille dans l'obscurité d'une lueur douce, rouge et phosphorescente, dont l'éclat reste plus faible que celui d'une veilleuse ordinaire. La Médecine universelle est devenue la « lumière inextinguible », le produit éclairant de ces lampes perpétuelles que certains auteurs ont signalées comme ayant été trouvées dans quelques sépultures antiques » *(Demeures philosophales)*.

Le troisième état de la Pierre se rapporte directement à la transmutation des métaux. Il s'agit de la « Chrysopée », que l'on fabrique en faisant fermenter une portion de Médecine universelle avec un peu d'or ou d'argent d'une parfaite pureté. Ni la Médecine universelle, ni la lumière inextinguible ne peuvent agir sur un métal vil, comme le plomb, pour le sublimer en or. Cette propriété appartient à la seule Chrysopée, qui n'est autre que la fameuse «poudre de projection».

Les alchimistes, contrairement à ce que l'on croit ordinairement, n'accordent pas une importance considérable à leur pouvoir de faire de l'or ou de l'argent à volonté. Pour eux, l'expérience de la transmutation n'a d'autre but que de leur prouver qu'ils sont effectivement entrés en possession de la Pierre philosophale. Ils n'y voient qu'un ultime test de laboratoire.

L'élixir de longue vie possède, en revanche, à leurs yeux, une valeur indiscutable, en raison de ses effets bénéfiques sur l'organisme et parce qu'il entraîne un accroissement des facultés intellectuelles et spirituelles. Après les longues épreuves du laboratoire, grâce à l'or potable, l'Adepte parvient à « s'élever jusqu'aux sublimes connaissances », à franchir, sans risquer d'être aveuglé, la porte ouvrant sur le royaume du soleil hermétique.

LES DEPRAVES DU GRAND OEUVRE

Dans le cryptogramme de Cimiez, les deux dernières figures, le croissant de lune au dessus d'une tour (E1) et le soleil éclairant un paysage campagnard (E2) confirment l'achèvement du Grand Oeuvre déjà annoncé par la rose épanouie. Au moment de l'apothéose, les deux principes — le soleil et la lune — sont réunis dans le même couple.

Le symbolisme de la tour mérite ici de retenir notre attention, parce que cet édifice, dans les représentations allégoriques, a toujours illustré l'axe privilégié par lequel il est possible de s'élever jusqu'au séjour des dieux. Au monastère de Cimiez, nous sommes en présence d'une tour de gloire, au crénelage intact, éclairé comme une couronne par la douce lumière du croissant lunaire. Cette majesté sereine et inébranlable s'oppose au thème développé par l'arcane XVI du Tarot, où l'on voit un donjon décapité par un trait de foudre émanant directement du soleil.

Selon Oswald Wirth (« Le Tarot des imagiers du Moyen-Age »), la signification de l'arcane XVI est la suivante: « quand nous poursuivons une entreprise chimérique, la catastrophe est fatale, provoquée par notre faute mais déterminée dans son accomplissement par l'action de la lumière qui éclaire les intelligences. Ce qui est déraisonnable se condamne soi-même à l'effondrement. Tant pis pour l'ambitieux qui se donne beaucoup de peine pour s'élever bien haut, sans se douter que les sommets attirent la foudre ». Oswald Wirth ajoute que cet arcane représente notamment « l'alchimie ignorante des souffleurs avides d'or vulgaire, l'inévitable malheur guettant l'occultiste vaniteux s'imaginant être servi par d'invisibles entités ».

Effectivement, le candidat mal préparé au Grand Oeuvre risque toujours de céder à la tentation de l'or pour l'or, et surtout de subir l'attrait exercé par les facilités perverses de la magie noire. L'histoire de l'alchimie est riche d'exemples nous montrant dans quels errements et quelles aberrations sont tombés les ratés de l'Art royal. Certains se vantaient d'utiliser des recettes miraculeuses relevant en fait de la plus basse sorcellerie. Ils mélangeaient, au hasard, dans leurs cornues, soufre et arsenic, perles pilées, sang humain, excréments, fumier tiède, oeufs de volailles, cornes de dragon (sic), sperme, viscères de crapauds, urine de bouc et j'en passe.

Quelques-uns s'efforçaient de « ressusciter » des plantes préalablement réduites en cendres. D'autres tentèrent de fabriquer une sorte de bébé-éprouvette auquel ils donnaient le nom d'homoncule. A l'origine de cette ahurissante entreprise se trouvait un texte, pour le moins discutable, de Paracelse disant ceci: « renfermez, pendant quarante jours, dans un alambic, de la liqueur spermatique d'homme; qu'elle s'y putréfie jusqu'à ce qu'elle commence à vivre et à se mouvoir, ce qu'il est facile de reconnaître. Après ce temps, il apparaîtra une forme semblable à celle d'un homme. Si après cela, on nourrit tous les jours ce jeune produit, prudemment et soigneusement, avec du sang humain et qu'on le couve pendant quarante semaines à une chaleur constamment égale à celle du ventre d'un cheval, ce produit devient un vrai et vivant enfant, avec tous ses membres, comme celui qui est né de la femme et seulement beaucoup plus petit. »

« Ceux qui ne parvenaient pas à constituer un homoncule par l'alchimie, souligne François Ribadeau-Dumas, pouvaient encore se procurer une racine de mandragore, le « petit homme planté » qui, en magie, jouait un rôle fort important.

« Mise dans un coffre, la mandragore humaine doublait le nombre des pièces d'or, mais elle gémissait, se plaignait. Il fallait la nourrir, l'habiller, la traiter avec égards. Elle possédait les qualités humaines. Elle avait des propriétés magiques, quasi divines » *(Histoire de la Magie).*

Le plus difficile, c'était de cueillir la racine de mandragore au moment propice: « le vendredi, jour de Vénus, ou le samedi jour du sabbat. Les uns conseillaient l'obscurité de la nuit, d'autres le lever du jour. Certains recommandaient le début de septembre; d'autre la nuit de Noël. On entourait la plante d'un cercle magique, et l'on gravait, sur son écorce, un triple signe de croix. Il était bon, pour l'apaiser par un fluide féminin, de répandre autour de la plante, un peu d'urine ou de sang menstruel d'une jeune vierge. »

Inutile d'aller plus loin. A ce stade nous perdons de vue les arcanes alchimiques, pour nous égarer dans le domaine de la névrose superstitieuse.

LES PREMIERS MAITRES DU FEU

Si les sorcières n'ont jamais rien apporté à l'art hermétique, il est certain, en revanche, que celui-ci doit beaucoup à ces magiciens mal connus qui surent devenir les premiers maîtres du feu. Le fait que l'alchimie ait connu, en Occident, une faveur exceptionnelle tout au long du Moyen-Age, ne signifie nullement qu'elle date de cette époque. Ses origines remontent en vérité beaucoup plus haut dans le temps. On a souvent affirmé qu'elle est née dans le secret des temples initiatiques de l'ancienne Egypte. Les archéologues modernes opposent à cette thèse un scepticisme d'airain, pour la bonne raison que les plus anciens documents hermétiques découverts au pays du Nil sont rédigés en grec et demeurent, somme toute, assez tardifs.

Il est indiscutable, en revanche, que l'Antiquité classique connut une intense activité alchimique. Qu'ils fussent païens, juifs ou chrétiens, les Artistes d'Alexandrie affirmèrent sans hésiter, comme le constate Serge Hutin, qu'ils souhaitaient, par leur quête fondamentale, « se libérer de l'asservissement, de la limitation des possibilités qu'implique l'existence courante ».

Au IVème siècle de notre ère, ainsi que le prouve un décret de Dioclétien ordonnant un vaste autodafé de leurs écrits, des citoyens plus ou moins discrets de la Rome impériale consacraient leurs efforts à la recherche de la Pierre philosophale. D'Alexandrie, le mouvement gagna toute la Méditerranée orientale. Après s'être établi solidement à Byzance, il finit par atteindre l'Islam encore jeune et c'est par l'Espagne arabisée que, du VIIIème au Xème siècle, les idées hermétiques se répandirent enfin dans la chrétienté.

A cette époque, de très vieilles traditions alchimiques existaient en Inde et en Chine. On cite souvent le cas, par exemple, de Tsou-Yen, un Adepte du Céleste Empire, qui aurait possédé, au IVème siècle avant J.C., la maîtrise de la transmutation. Mais c'est un historien des religions, Mircéa Eliade, qui a soupçonné le premier que les racines extrêmes de l'Art Royal doivent être recherchées au niveau de la préhistoire.

Il écrit notamment: « l'alchimiste, comme le forgeron, comme avant lui le potier, est un seigneur du Feu. C'est par le feu qu'il opère le passage de la matière d'un état à un autre. Le potier qui, avant tous les autres, réussit grâce à la braise, à durcir considérablement les

« formes » qu'il avait données à l'argile, dut sentir l'ivresse d'un démiurge: il venait de découvrir un agent de transmutation ».

Selon les données actuelles de l'archéologie, cet événement considérable intervint à Mureybet, sur les bords de l'Euphrate, entre 8.000 et 7.700 avant notre ère. L'invention nouvelle semble ensuite avoir été provisoirement oubliée, et la céramique ne réapparut sporadiquement qu'au VIIème millénaire et ne se généralisa, au Proche-Orient, qu'au début du VIème millénaire.

Pour les premiers potiers, « ce que la chaleur naturelle — celle du soleil ou du ventre de la terre — mûrissait lentement, le feu le faisait dans un « tempo » insoupçonné. L'enthousiasme démiurgique surgissait de cet obscur pressentiment que le grand secret consistait à apprendre comment « faire plus vite » que la nature, c'est-à-dire comment intervenir sans risques dans les processus de la vie cosmique environnante.

« Le feu s'avérait être le moyen de « faire plus vite », mais aussi de faire autre chose que ce qui existait dans la nature: il était donc la manifestation d'une force magico-religieuse qui pouvait modifier le monde qui, par conséquent, n'appartenait pas à ce monde-ci ». *(Mircéa Eliade: « Forgerons et alchimistes »).*

LA METALLURGIE SACREE

Ce qui s'est produit avec l'apparition de la céramique s'est renouvelé par la suite, de façon encore plus spectaculaire, avec la découverte de la métallurgie. Vers 4.000 avant J.C., l'homme apprit à fondre et à travailler le cuivre. Au troisième millénaire, il avait fait des progrès appréciables et savait produire du bronze, un alliage combinant 85% de cuivre et 15% d'étain. Il se trouvait déjà, dans son balbutiement technologique, sur la voie de l'alchimie, puisque le métal qu'il créait n'existait pas dans la nature.

Le fer, quant à lui — bien connu depuis 1800 environ avant notre ère — ne fut vraiment diffusé qu'au dernier millénaire, certains interdits ayant, semble-t-il, retardé son expansion. Selon Raymond Furon: « le fer est resté longtemps un métal « impur », d'origine étrangère, n'ayant pas été lié aux exploits des dieux et des ancêtres. On peut lire dans le Deutéronome: « et ici tu élèveras un autel au Seigneur ton Dieu, un autel de pierres; tu n'y emploieras aucun outil de fer » (XXVII-5). A Rome, le grand prêtre de Jupiter ne devait raser qu'avec une lame de bronze (et non pas de fer). Le site d'une nouvelle ville devait être marqué par un sillon labouré avec une charrue à soc de bronze. Eschyle, dans sa tragédie « Les Sept contre Thèbes » (vers 471 avant J.C.), parle du fer comme du métal « étranger venu d'au-delà des mers », du « nouveau venu du pays des Scythes » *(R. Furon: « Manuel de préhistoire générale »).*

Ces traces de tabous anciens subsistant en pleine Antiquité gréco-latine, démontrent que la métallurgie a baigné, à ses origines, dans un climat sacré et magique à la fois. Longtemps, les forgerons ont vu dans les métaux autre chose que les efficaces produits d'un travail profane. La matière en fusion qu'ils domestiquaient dans leurs creusets, était pour eux signe et image de la transcendance. En tant que « mystères », leurs techniques « impliquaient, d'une part, la sacralité du cosmos et, d'autre part, se transmettaient par des initiations. » En ce sens, il n'est pas exagéré d'affirmer que les alchimistes peuvent être considérés comme leurs héritiers et leurs continuateurs.

« La métallurgie, comme l'agriculture — qui dépendait de la fécondité de la Terre-Mère — a fini, écrit Mircéa Eliade, par créer chez l'homme un sentiment de confiance et même d'orgueil: l'homme se sent capable de collaborer à l'oeuvre de la nature, capable d'aider le processus de croissance qui s'effectue au sein de la terre. L'homme bouscule et précipite le rythme de ces lentes maturations; en quelque sorte, il se substitue au temps. L'alchimiste s'inscrit dans le même horizon spirituel: il reprend et parfait l'oeuvre de la nature, en même temps qu'il travaille à se « faire » lui-même. »

Certains auteurs ont pensé que l'Art hermétique pourrait s'être constitué, il y a fort longtemps, à partir d'un savoir mystérieux légué à une poignée d'initiés par les représentants d'une civilisation inconnue. Cette hypothèse, il faut le dire nettement, ne tient pas devant la rigueur des faits.

Notre propre préhistoire est la seule Atlantide possible.

LE CONTINENT ENGLOUTI

I

Il y a deux façons d'appréhender le problème des origines de l'homme: prendre à la lettre les textes sacrés qui nous livrent des séries d'explications mythiques, ou bien suivre la démarche des scientifiques partisans de l'évolutionnisme. Contrairement à ce que l'on affirme trop souvent, les deux approches ne s'excluent pas l'une l'autre. Elles se situent simplement sur des plans différents.

Selon les paléontologistes, l'homme est un primate de la famille des hominiens, seul représentant de son espèce. Pour découvrir le point de départ des primates, il faut remonter très loin. Environ 70 millions d'années en arrière. En ces temps là vivaient dans les arbres de petits animaux — les lémuriens — dont la taille ne dépassait pas celle d'un écureuil. Ressemblant aux tarsiers actuels, ils savaient faire bon usage de leurs yeux et utilisaient leurs griffes un peu comme des doigts. Ils évoluèrent lentement, mais dans une direction pleine de promesses.

L'un de leurs descendants probable, l'Amphipithecus (40 millions d'années) présentait déjà certains caractères évoquant vaguement l'aspect d'un singe. Plus récent, l'Oligopithecus fut le premier à ne posséder que 32 dents. Pour sa part, le Propliopithecus semble s'être engagé sur la voie menant à ce que l'on appelle les anthropomorphes (c'est-à-dire le gorille, l'ourang-outan ou le chimpanzé). Il y a 20 millions d'années, le Pliopithecus annonçait le gibbon, tandis que le Proconsul frôlait la lignée ancestrale de l'homme, sans parvenir toutefois à s'y insérer. L'Oréopithecus vécut à peu près à la même époque que le Dryopithecus (proche du Proconsul), dont les restes ont été trouvés en Afrique, en Europe, en Chine et en Inde dans des niveaux remontant à 14 millions d'années environ.

Avec le Ramapithecus — 13 millions d'années — surgit un candidat au brillant palmarès. Les spécialistes lui ont en effet reconnu des traits indiscutablement hominiens, ce qui lui vaut une place privilégiée dans les nomenclatures. Après lui, cependant, on constate un trou d'une dizaine de millions d'années, correspondant à une période décisive puisqu'elle débouche sur les Australopithèques, considérés comme les aïeux les moins discutables de l'humanité.

Ainsi que le souligne le professeur Clark Howell, les témoins dont la science dispose aujourd'hui « montrent que l'arbre généalogique des primates ne possède pas de gros tronc central, mais qu'il se présente plutôt comme un buisson luxuriant, avec des pousses et des vrilles nombreuses croissant côte à côte, et dont certaines se sont desséchées et sont mortes, tandis que d'autres se sont ramifiées. » Dans la complexité de ces ramifications, on distingue des types extrêmement primitifs, des formes plus évoluées ressemblant aux singes en général, et enfin un groupe qui appartient nettement à la seule lignée des anthropomorphes. Quelque part dans cet enchevêtrement est apparu, on ne sait ni quand ni comment, un bourgeon voué à un destin glorieux, dans la mesure où il a engendré ceux qui devaient devenir nos ancêtres directs.

LUCY: 1 m 20 ET 3.000.000 D'ANNEES

S'il est impossible, actuellement, de préciser le moment où les primates pré-humains ont commencé à s'individualiser, la science cerne mieux le point d'émergence de l'homme véritable, défini en fonction de son aptitude à tailler des outils. A cet égard, il est passionnant de constater, à la lumière des découvertes récentes, qu'Adam et Eve ne cessent de vieillir.

Quand, à partir de 1924, Dart, Broom et Robinson localisèrent, en Afrique du Sud, les traces des premiers Australopithèques connus, nul ne put refuser à leurs trouvailles le bénéfice d'un âge respectable. Il fallut pourtant attendre l'invention de la méthode Potassium-Argon pour obtenir des chronologies précises. L'un des tests initiaux fut effectué sur le crâne du Zinjanthropus boisei, mis au jour en 1959 au Tanganyika par Louis et Mary Leakey. Les préhistoriens apprirent alors que ce fossile d'homme archaïque remontait à 1.800.000 ans. Une aussi haute ancienneté leur parut extraordinaire, et ils hésitèrent longtemps avant de l'admettre.

Aujourd'hui, les trois millions d'années de « Lucy » (un squelette dégagé en 1974 dans les Afars, en Ethiopie, par une mission franco-américaine) n'effarouchent plus personne. Il est même certain que le record détenu par cet hominien — de sexe féminin, comme son nom l'indique — sera battu un jour ou l'autre. Les regards se portent désormais vers l'horizon des 5.000 millénaires.

Lucy mesurait 1 m 20. Si sa capacité crânienne demeure inconnue, il est prouvé qu'elle se tenait fort bien debout sur ses deux jambes. Six ou sept de ses proches parents ont été retrouvés sur un autre site des Afars par Maurice Taïeb, chercheur au CNRS. Ces ossements fossiles représentent tout ce qui reste de la plus vieille famille du monde.

Celle-ci vivait sur une plaine inondable, en bordure d'un fleuve. Elle fut, un jour, surprise par une crue subite. Les corps partirent à la dérive et finirent par échouer sur la berge, plusieurs kilomètres en aval du campement. Aucun outil, compte tenu des circonstances de l'accident, n'a pu être ramassé auprès des squelettes. Maurice Taïeb affirme cependant que ces êtres s'inscrivaient à coup sûr dans le genre humain.

Une main presque intacte révèle en effet des caractères très évolués, laissant entendre qu'elle fut celle d'un habile artisan.

LES PREMIERS OUTILS

Pour le moment, et dans l'attente de nouvelles trouvailles, les plus anciens outils vraiment attestés remontent à trois millions d'années. Ce sont des galets sommairement aménagés par l'enlèvement volontaire de quelques éclats, afin d'obtenir un tranchant. Ils ont été fabriqués en Afrique orientale par les Australopithèques qui eurent le privilège de développer la première culture humaine.

Ces personnages assez malingres, au cerveau peu volumineux, qui marchaient tranquillement dressés sur leurs membres postérieurs, taillaient de gros cailloux et traquaient le petit gibier, peuvent se vanter d'avoir provoqué une belle querelle dans le monde scientifique du XXème siècle, certains préhistoriens ayant carrément refusé de leur délivrer la carte d'identité adamique, tandis que d'autres prenaient leur défense avec une farouche énergie. Depuis quelques années, la polémique s'est apaisée, les spécialistes s'étant fait un point d'honneur de mettre de l'ordre dans leurs dossiers.

Il apparaît, en définitive, que l'ensemble des Australopithèques, au sens large du terme, comprend plusieurs groupes. Quelques-uns, caractérisés par l'extrême robustesse de leurs mâchoires, se sont éteints sans gloire. Ils ne figurent pas dans la galerie des portraits de famille. D'autres, les Australopithèques « graciles », ont donné vraisemblablement ce que l'on appelle « l'homo habilis », c'est-à-dire l'inventeur de l'outil. Ils méritent amplement leurs titres généalogiques.

Les premiers tailleurs de pierre se montrèrent assez vite capables d'étonnants progrès techniques. En Ethiopie, par exemple, comme l'ont mis en évidence

Jean et Nicole Chavaillon, des industries datant de deux millions d'années, sinon plus, témoignent d'une méthode de débitage perfectionnée. Le chasseur primitif ne se contentait pas de fabriquer, à partir d'un galet, une sorte de coup de poing rudimentaire. Il savait aussi préparer des lamelles, dont certaines portent des traces d'utilisation et quelquefois des retouches. Bref, « il possédait déjà l'usage d'objets de petite dimension, que l'on a davantage l'habitude de rencontrer dans les périodes finales de la préhistoire qu'à ses origines ».

Pierre Biberson, de l'Institut de paléontologie de Paris, a constaté, pour sa part, qu'à une très haute époque, au Maroc, l'homme pratiquait l'économie des moyens, en adaptant son effort intelligent à la nature de la matière première qu'il travaillait.

« L'ingéniosité ne lui manquait certainement pas, puisqu'il était capable de concevoir, à l'avance, l'outil qu'il désirait obtenir en vue de satisfaire ses besoins artisanaux. Tous ceux qui se sont exercés à la taille de la pierre, savent qu'un des points essentiels est de disposer, d'abord, d'un bon matériau répondant à un certain nombre de qualités physiques.

« La nature de la roche est évidemment primordiale, mais s'y ajoutent le volume et la conformation externe de la masse minérale à traiter: bloc, rognon ou galet. Pour ces derniers, la difficulté est le départ (l'entame) quand la surface à attaquer présente une courbure accentuée. Un bon plan de frappe doit être en principe plat ou anguleux, et ne jamais correspondre à un élément de sphéroïde. Aussi est-il logique, lorsqu'on dispose d'une masse abondante de galets, de rechercher une matière première possédant naturellement une surface plane pour, d'un seul coup, ou par une série d'enlèvements juxtaposés dans une même direction, obtenir un élément de tranchant avec le minimum d'effort. »

C'est exactement ainsi que procédaient les plus vieux habitants connus de la région de Casablanca. Par conséquent, estime Pierre Biberson, le choix de la pierre la plus favorable à un aménagement simple ne nécessitant qu'un travail minimum, semble devoir s'inscrire parmi les procédés constituant leur bagage technologique.

Toutefois — et c'est ici que l'affaire se corse — quand le caillou idéal leur manquait, ces ouvriers des premiers temps faisaient preuve d'une grande maîtrise, en vue de transformer selon leurs voeux des blocs difficiles à façonner. Ils recouraient alors à des modes de taille nettement plus sophistiqués, dont l'un, multidirectionnel, atteste un haut niveau de complexité.

J'avoue avoir essayé de les imiter. Le résultat a été lamentable. Ces hommes n'étaient pas les sombres brutes que certains auteurs mal informés veulent nous décrire. Ils pensaient juste et clair. Plus j'explore le vaste champ de la préhistoire — et cela dure depuis vingt ans — plus je suis persuadé que « l'homo atomicus » n'a pas à rougir des aïeux que la science lui propose. Tout comportement de méfiance à leur égard relève d'une mentalité raciste.

LES INVENTEURS DU FEU

Il y a quelque mille millénaires, les Australopithèques disparurent et laissèrent la place à ce qu'on nomme, d'un terme plutôt barbare, les Archanthropiens. La trace de ces nouveaux venus a été retrouvée en Afrique du Nord, en Europe, à Java et en Chine. Descendant probablement des Australopithèques (bien que l'on n'ait pas découvert le maillon pouvant unir les deux groupes), ils appartiennent, grosso modo, à la famille des Pithécanthropes. Leur industrie, l'Acheuléen, représente une étape importante dans l'évolution des techniques humaines. Ces êtres, encore frustes physiquement, utilisaient, bien avant l'apparition de l'homme de Néandertal, un outillage d'une étonnante richesse. Au cours d'une longue période s'étendant en chiffres ronds sur un demi million d'années, à travers deux stades interglaciaires et une glaciation (voire deux), ils ont successivement inventé, outre le biface, toutes les formes d'outils en pierre — racloirs, couteaux, grattoirs, burins, etc., que les hommes préhistoriques ultérieurs devaient perfectionner en fonction de leurs propres besoins.

Les fouilles conduites à Chou-Kou-Tien près de Pékin, en Indonésie, en Algérie, à Torralba et Ambrona, en Espagne; à Torre in Pietra, en Italie; à Hoxne et Swanscombe en Grande-Bretagne; à Vertöszollös en Hongrie; à Tautavel, Pech de l'Azé, Bouheben, La Chaise, Nice, Orgnac, Lunel-Vieil, Biache-Saint-Vaast, en France ont fourni une documentation considérable. Malgré des incertitudes planant parfois sur certaines datations, la connaissance de cette phase capitale de la préhistoire commence à se préciser nettement.

A Nice, par exemple, sur le site de Terra-Amata, le professeur Henry de Lumley a démontré qu'au bord de la Méditerranée, les Archanthropiens vivaient, il y a 400.000 ans, sous un climat tempéré un peu plus froid que de nos jours.

Fait remarquable, ces hommes maîtrisaient parfaitement le feu. Les sols d'habitat ont révélé l'existence de foyers (protégés des vents dominants par des murettes) comptant parmi les plus anciens actuellement connus dans le monde, avec ceux de Vertöszollös et de Chou-Kou-Tien.

Les Pithécanthropiens de Nice traquaient l'éléphant, le cerf, le sanglier, le bouquetin, l'auroch et le rhinocéros. Du gibier de poids. Ils ramassaient également des coquillages et faisaient rôtir des lapereaux cueillis au nid. Des indices laissent même supposer qu'ils pratiquaient, à l'occasion, une forme de pêche rudimentaire.

Leurs ateliers de taille ont livré une partie, au moins, de leur équipement: des galets sommairement aménagés, mais aussi des bifaces soignés, des pics et des hachereaux. Pour s'abriter, ils construisaient des cabanes de branchages que les préhistoriens sont parvenus à reconstituer avec fidélité. Nomades par nécessité, ils parcouraient de vastes territoires de chasse. Leurs pérégrinations s'organisaient selon le rythme cyclique des saisons. Vingt et une fois, ils sont revenus sur la même plage, à proximité d'une source d'eau douce. Toujours au printemps. Après une courte halte, ils repartaient vers d'autres horizons.

Aucun ossement humain n'a été mis au jour sur le site de Terra-Amata, mais le crâne et l'os iliaque de l'homme de Tautavel (400.000 ans), retrouvés dans la grotte de l'Arago, non loin de Perpignan, montrent que ces très vieux Européens du sud présentaient des caractères anatomiques comparables à ceux de leurs congénères de Java, de Chine et d'Afrique du Nord.

Certains d'entre eux semblent avoir pratiqué l'anthropophagie. Il ne faut pas s'en offusquer. L'Homo sapiens, sous bien des cieux, les a imités beaucoup plus tard, et il a su donner à cette pratique une dimension mystique...

LE PREMIER GESTE RITUEL

Vers moins 150.000 ans, les préhistoriques franchirent une nouvelle étape. L'organisation intérieure de leurs habitats témoigne alors d'une nette recherche du confort. Les fouilles effectuées à Nice par l'équipe du professeur de Lumley ont révélé l'existence, dans la grotte du Lazaret, d'une vaste cabane de onze mètres de longueur sur neuf mètres cinquante de largeur, édifiée contre la paroi rocheuse, près du porche.

Une cloison permettait d'isoler deux compartiments inégaux en dimension. Le plus petit constituait une sorte de sas d'entrée. L'autre, situé en arrière, plus grand et plus étanche, servait de chambre à coucher. Des litières, composées essentiellement d'herbes marines recouvertes de fourrures de loups, de panthères et de lynx, y avaient été aménagées.

En s'installant dans une grotte, l'homme cherchait à se protéger des rigueurs du climat, mais les voûtes de la caverne n'étaient, en fait, qu'un double toit naturel. La structure de la cabane (murettes, orientation des portes, cloison intérieure) paraît avoir été conçue pour mettre les habitants à l'abri des vents venus de l'extérieur et du froid assez vif sévissant en cette fin de la glaciation du Riss.

Il apparaît que le Lazaret a hébergé une communauté d'une dizaine de personnes. L'étude des restes de faune, abandonnés parmi les déchets de cuisine, montre que ces chasseurs nomades étaient arrivés dans le courant du mois de novembre. De leurs expéditions dans la nature, ils avaient en effet ramené de jeunes bouquetins âgés de cinq mois environ.

Ils étaient encore là au début du printemps, alors que les marmottes, après leur long sommeil, commençaient à sortir de leurs terriers. Les beaux jours revenus, ils abandonnèrent leur cabane d'un hiver pour aller s'établir en d'autres lieux. Au moment de se mettre en route, ils déposèrent, juste derrière l'entrée de la grotte, un crâne de loup dont ils avaient retiré la cervelle par un trou de cinq centimètres de diamètre découpé dans le pariétal droit.

Même si sa signification profonde nous échappe — et sans doute nous échappera-t-elle toujours — ce geste, à coup sûr rituel, rend soudain étrangement proches de nous les rudes Pithécanthropiens du Paléolithique inférieur. Il y a 150.000 ans, ils vivaient dans un autre monde. Presque sur une autre planète. Mais déjà ils cherchaient à établir le contact avec l'Invisible.

MONSIEUR DE NEANDERTAL

Cela se passait durant l'été 1856. Dans l'une des nombreuses grottes de la vallée de Néandertal, près de

Düsseldorf, des ouvriers dégageaient une épaisse couche d'argile recouvrant un filon de calcaire destiné à être mis en exploitation. Soudain apparurent, dans la terre grasse, des ossements massifs que les carriers prirent pour ceux d'un ours des cavernes. Leur patron décida de confier ces vestiges à l'un de ses amis, le professeur d'Histoire naturelle Johann Carl Fuhlrott. Celui-ci les examina attentivement et soupçonna très vite l'immense intérêt de la trouvaille. En fait d'ours des cavernes, il avait tout simplement sous les yeux les restes d'un homme archaïque. Du moins en était-il persuadé.

Fuhlrott consulta quelques collègues qui abondèrent dans son sens. C'était la gloire. Ou presque. Hélas, il y eut le congrès international des naturalistes qui se réunit l'année suivante à Cassel. Au cours des travaux, les sommités de l'époque se penchèrent, loupe en main, sur le squelette de Néandertal, et Fuhlrott ne tarda pas à déchanter. Le célèbre Mayer, de l'Université de Bonn, haussa les épaules en déclarant qu'il s'agissait des os d'un cosaque tué pendant les campagnes de 1814. Toujours flegmatique, le britannique Blake affirma que l'individu en question avait été un idiot de village, hydrocéphale et tout déjeté de naissance. L'illustre Rudolf Virchow confirma ce verdict, ajoutant que le pauvre rachitique avait du recevoir nombre de raclées durant son existence, comme le prouvaient ses os déformés par les coups!

Ecoeuré par tant d'incompréhension, Fuhlrott décida de se battre. Il fit appel à l'opinion publique, remua ciel et terre, devint terriblement encombrant. Il finit par marquer des points. En 1886, la découverte des ossements de Spy, aux environs de Namur, vint lui donner raison sur toute la ligne. Monsieur de Néandertal, après avoir fait antichambre put enfin entrer dans la préhistoire. Par la grande porte.

Certes, il avait mauvais genre, avec son front fuyant, son menton à peine ébauché, ses énormes arcades sourcilières, ses bras trop longs et ses jambes tordues. C'était un homme pourtant. Tout le monde le reconnut, sauf Virchow, toujours vivant et de jour en jour plus entêté.

Actuellement, les savants savent beaucoup de choses sur les Néandertaliens, en raison des nombreuses trouvailles qui ont permis de reconstituer leur environnement, leur mode de vie, leur culture et même une partie de leurs croyances. Les paléontologistes ont également fini par se rendre compte qu'ils n'étaient pas aussi laids qu'on l'avait cru au départ.

UN SOLIDE PIONNIER

L'homme de Néandertal fit son apparition il y a 100.000 ans environ, et s'éteignit de façon assez mystérieuse, six cents siècles plus tard. Entre-temps, il s'est imposé grâce à ses qualités de solide pionnier. « Il était petit et trapu, écrit Robert Ardrey. Terriblement efficace aussi. Mais il n'était pas que cela. Pendant sa progression, il avait acquis un gros cerveau, un peu plus gros que le nôtre. Et il en avait bien besoin. La glaciation de Würm qu'il rencontra sur sa route ne fut pas la plus étendue, mais ce fut la plus longue et la plus rigoureuse. Pendant toute sa durée, il y eut de brefs répits que nous appelons interstadiaires, mais aucun qui put se comparer aux conditions météorologiques actuelles. On peut tout juste dire que le temps était alors mauvais au lieu de pire. Or, à toutes ces circonstances, l'homme de Néandertal s'adapta et survécut ». (« *Et la chasse créa l'homme* »).

Trappeur hors pair, remarquable tailleur de silex, homo sapiens indiscutable, il n'a pas raté sa carrière. Bien plus, il sut se poser des questions sur la mort. Depuis soixante dix ans, en effet, de passionnantes découvertes ont prouvé qu'il fut l'inventeur de la sépulture.

C'est le 8 août 1908 que les abbés Amédée et Jean Bouyssonie, assistés de leur frère Paul, mirent au jour, dans la caverne de la Bouffia de Bonneval, à La Chapelle-aux-Saints, un village de Corrèze situé près de Brive, la première tombe néandertalienne. Selon les inventeurs, « le corps avait été intentionnellement enseveli. Il gisait au fond d'une fosse creusée dans le sol marneux de la grotte. La fosse était à peu près rectangulaire, large de un mètre, longue de un mètre quarante cinq, profonde de trente centimètres environ. Le cadavre y était orienté Est-Ouest, couché sur le dos, la tête à l'Ouest, appuyée contre le bord de la fosse, dans un coin, et calée par quelques pierres. Le bras droit était probablement replié, ramenant la main vers la tête; le bras gauche était étendu. Les jambes aussi étaient repliées et renversées vers la droite ».

Contre le défunt, avaient été déposées des pièces de gibier. « On remarquait également autour des restes du corps, un grand nombre d'éclats de quartz, de silex parfois bien travaillés et quelques fragments d'ocre ».

Prêchant pour leur paroisse, les abbés Bouyssonie tirèrent la conclusion suivante: « Ainsi, la Bouffia de Bonneval était une grotte sépulcrale où se sont déroulés des repas funéraires et des rites magiques (pointes de silex rompues). Le rituel utilisé n'apporte pas la preuve péremptoire que les Néandertaliens croyaient à l'existence d'une âme immortelle, mais l'esprit est naturellement porté à cette conclusion, dans la mesure où il est démontré par la philosophie et par la science que l'acte d'ensevelir les morts suppose des croyances et des sentiments religieux. Dans cette mesure là, on peut affirmer que, dès la période néandertalienne, il y avait de la religion dans l'humanité ».

Cette déclaration courageuse ne déchaîna guère l'enthousiasme dans la petite communauté des spécialistes. Avant la première guerre mondiale, les savants n'étaient pas prêts à mettre le sens métaphysique au crédit de M. de Néandertal. Pour que leur scepticisme fût ébranlé, il fallait d'autres trouvailles convaincantes.

Au fil des années, fort heureusement, celles-ci se multiplièrent, notamment à la Ferrassie et au Moustiers, dans le sud-ouest de la France et à Spy, en Belgique. Plus tard, on découvrit même, en Irak, un Néandertalien qui avait été étendu sur un lit de fleurs, comme devait en témoigner l'étude des pollens fossiles récupérés dans la terre.

De nos jours, la cause est entendue. Ainsi que le professeur Jean Roche le déclarait en septembre 1976, lors du congrès de l'Union Internationale des Sciences Préhistoriques, il est permis de penser que « le psychisme des Néandertaliens était d'un niveau analogue à celui des hommes modernes ».

Cela précisé, il ne faudrait pas se hâter de conclure que les Pithécanthropes, voire les Australopithèques les plus évolués, ne réagissaient pas devant la mort. André Leroi-Gourhan, l'un des maîtres de la préhistoire française, a très justement souligné que « l'abandon pur et simple du corps dans les fourrés, la pâture aux oiseaux, la fuite précipitée de l'habitation en y laissant le corps, ne signifient pas l'absence d'idée sur la survie ». En somme, la pratique de l'inhumation prouve que les Néandertaliens possédaient une certaine conception de l'immortalité. Mais rien ne nous autorise à affirmer que leurs prédécesseurs furent incapables de s'engager dans la même direction. En suivant d'autres voies.

LE CULTE DE L'OURS

En 1965, Eugène Bonifay a fouillé au Regourdou, en Dordogne, une remarquable tombe néandertalienne, à laquelle était associée « une vaste fosse de 1 m 50 sur 0 m 60, limitée par des murs et recouverte par une grande dalle d'un poids approximatif de 850 kilos. Dans la fosse se trouvait le squelette d'un ours brun, complet, mais dont les divers éléments, bien que soigneusement disposés, n'occupaient pas leur position anatomique » *(B. Vandermeersch: « La Préhistoire française »).*

Cette découverte est venue ranimer la vieille controverse engagée autour du culte de l'ours à l'époque moustérienne (c'est-à-dire néandertalienne). Divers spécialistes admettent l'existence de ce culte, en se fondant sur des exemples ethnographiques relativement récents. D'autres le nient. Le match se poursuit et le score demeure indécis.

Mircéa Eliade rappelle, dans son « *Histoire des croyances et des idées religieuses* », que Emil Bächler a trouvé en Suisse, au coeur des cavernes de Drachenloch et de Wildenmannlisloch, « plusieurs crânes d'ours dépourvus de mandibules avec des os longs placés entre eux. Des trouvailles similaires ont été faites par d'autres préhistoriens dans quelques grottes des Alpes. De même, en 1950, K. Ehrenberg trouva, dans la Salzofenhoelle (Alpes autrichiennes), trois crânes d'ours logés dans des niches naturelles de la paroi et accompagnés d'os longs, orientés de l'Est à l'Ouest.

« Puisque ces dépôts semblaient intentionnels, les savants se sont appliqués à décrypter leur signification. Al Gahs les a comparés aux offrandes des prémices apportées par certaines populations arctiques à un Etre Suprême. L'offrande consistait justement dans l'exposition, sur des plates-formes, du crâne et des os longs de l'animal abattu; on offrait à la divinité la cervelle et la moelle de l'animal; c'est-à-dire les parties les plus appréciées par le chasseur. Cette interprétation a été acceptée, entre autres, par Wilhelm Schmitt et W. Koppers; pour ces ethnologues, c'était la preuve que les chasseurs d'ours néandertaliens croyaient à un Etre Suprême ou à un Seigneur des Fauves. D'autres auteurs ont comparé les dépôts de crânes au culte de l'ours tel qu'il est, ou a été jusqu'au XIXème siècle, pratiqué dans l'hémisphère nord. Le culte comporte la conservation du crâne et des os longs de l'ours assommé, pour que le Seigneur des Fauves puisse le ressusciter l'année suivante ».

Un savant suisse, E. Koby, et le préhistorien français André Leroi-Gourhan, se sont vigoureusement élevés contre cette analyse. Pour eux elle est fausse, parce qu'il n'existe pas de dépôts intentionnels de crânes d'ours. Ce que les archéologues ont retrouvé correspond à de simples accumulations hasardeuses dues aux faits géologiques ou au comportement des ours eux-mêmes, « circulant et grattant parmi les ossements ». En renfort de leur thèse, ils soulignent — à juste titre d'ailleurs — que les fouilles dans les grottes de Suisse et d'Autriche ont été menées selon des méthodes peu scientifiques.

A cela, Mircéa Eliade réplique en renversant les arguments de Koby et Leroi-Gourhan. Admettons, dit-il, que les ours n'ont cessé de bouleverser les tas d'os dans les cavernes, au point de constituer des amas qui peuvent paraître intentionnels. Dans ces conditions, si les Néandertaliens ont bel et bien procédé à des dépôts rituels, il y a de fortes chances pour que ceux-ci aient été également chamboulés et rendus en quelque sorte illisibles. Cette logique imparable ramène d'un seul coup le compteur à zéro et réduit en poussière les arguments contradictoires des deux camps.

Faut-il en conclure que le problème est insoluble?

Probablement pas. Nous avons déjà souligné un dépôt volontaire de crâne de loup trépané dans la grotte du Lazaret, à Nice, bien avant l'époque moustérienne. C'est un argument non négligeable en faveur de la thèse de Schmitt, Koppers et Gahs. D'autre part, déclare Mircéa Eliade, puisque le culte des crânes est attesté chez certains peuples de chasseurs arctiques bien connus des ethnologues, il serait parfaitement illogique d'affirmer que les Néandertaliens, dont on admet qu'ils possédaient un psychisme hautement différencié, auraient été incapables d'inventer un rituel analogue. D'autant que les uns et les autres « partageaient la même économie et probablement la même idéologie religieuse spécifique des civilisations de la chasse. »

Pour le moment, le débat en est là. Les partisans du culte de l'ours mènent, avec un léger avantage. Mais seules d'autres découvertes, exploitées selon les techniques les plus rigoureuses de la préhistoire moderne, pourraient éventuellement leur permettre de marquer le point de la victoire.

II

Le mont Quafzeh se trouve dans le nord d'Israël, non loin de Nazareth. C'est là qu'en 1969 une mission française, dirigée par Bernard Vandermeersch, a mis au jour plusieurs sépultures datant de l'époque néandertalienne. L'une d'elles contenait les ossements d'un enfant âgé d'une dizaine d'années. Le massacre d'un daim avait été déposé entre ses mains; sur sa poitrine, les préhistoriens retrouvèrent des fragments d'oeuf d'autruche portant des traces de feu.

Dans un article publié par la revue «Archéologia», B. Vandermeersch s'est efforcé d'interpréter les observations faites sur le terrain. « Sans entrer dans le détail, écrit-il, on peut se demander si, par exemple, l'oeuf d'autruche et le massacre de daim correspondent à des offrandes que les vivants ont présentées au défunt, dans le but de calmer son esprit. Mais ce peut être aussi une offrande que le mort destine aux puissances de l'au-delà pour les apaiser et faciliter en quelque sorte son accueil. » Si tel était le cas, le comportement des hommes de Quafzeh rappellerait celui des Romains antiques, qui glissaient une pièce de monnaie entre les dents des défunts, afin qu'ils puissent payer leur passage à Charon, le nocher des Enfers.

Refusant de trancher, B. Vandermeersch ajoute: « le simple fait d'être amenés à nous poser ces questions nous fait entrevoir, si peu que ce soit, la mentalité des préhistoriques, et nous avons une fois de plus la preuve que les moustériens croyaient à une vie dans l'au-delà. »

Mais les gens de Quafzeh posent un autre problème. Ils vivaient il y a 50.000 ans, comme les néandertaliens, chassant les mêmes gibiers qu'eux, pratiquant la même industrie de la pierre taillée. Et pourtant, ils n'étaient pas des néandertaliens. La forme de leur crâne, en particulier, annonçait déjà des races à la morphologie nettement plus évoluée qui devaient déferler plus tard: celles de Cro-Magnon et de Combe-Capelle. Selon B. Vandermeersch, le site de Quafzeh montre, par conséquent, que l'homme moderne ne dérive pas du néandertalien, mais possède une origine beaucoup plus ancienne. On peut penser alors que l'un et l'autre « sont issus d'une souche commune, dont il faut chercher la trace il y a 150.000 ans, et probablement avant. »

Pour le moment, l'énigme reste entière. Nous ne savons absolument pas d'où vient l'homo deux fois sapiens. Notre ancêtre immédiat. Celui dont le sang coule encore dans nos veines.

L'ATHLETE OLYMPIQUE DE CRO-MAGNON

Ce qui est certain, en revanche, c'est que cet aïeul ne manquait pas d'allure. Bâti comme un athlète olympique, les traits fins, le menton bien dessiné, le front dégagé, il avait tout pour plaire. S'il lui était possible de revenir à la vie pour se mêler à nous, il lui suffirait d'un costume d'honnête facture pour s'intégrer parfaitement aux foules laborieuses convergeant, sur le coup de dix-huit heures, vers les bouches de métro...

Commencée aux environs de moins 40.000 ans, son extraordinaire aventure s'est prolongée durant 300 siècles. Très vite, il entreprit de coloniser d'immenses territoires, bousculant les derniers néandertaliens en pleine phase de déclin, perfectionnant les techniques de chasse, de taille de la pierre et du travail de l'os.

En Europe centrale, en Russie et en France de nombreux gisements témoignent également de la complexité de son organisation sociale.

Les hommes préhistoriques du Paléolithique supérieur savaient coudre des vêtements de peau et des mocassins fourrés. Ils pratiquaient la pêche au harpon, connaissaient un nombre considérable de plantes et de fruits comestibles. Ils ne se contentaient pas de fréquenter des grottes peu confortables; ils occupaient aussi des sites de plein air, dont les aménagements révèlent ce qu'il faudrait presque appeler une architecture.

Près de Mussidan, en Dordogne, Jean Gaussen et James Sackett ont fouillé une habitation rectangulaire soigneusement dallée. A Pincevent, en bordure de la Seine, André Leroi-Gourhan a étudié les vestiges laissés par une petite bande de chasseurs nomades, dont les tentes de forme conique préfiguraient les wigwams indiens. En Tchécoslovaquie, le gisement de Barca, mesurant 45 mètres sur 30, comprenait quinze fosses très élaborées, remontant à l'Aurignacien inférieur, soit 30.000 ans environ.

« Ces fosses, note le professeur Ladislav Banesz, se répartissaient en groupes constituant des complexes d'habitat indépendants et vraisemblablement recouverts d'un même toit, compte tenu de l'homogénéité des outils récoltés sur place.

« Un autre ensemble présentait une série de pièces réunies par un corridor central. Le chauffage était assuré par sept foyers creusés en différents points de la demeure. L'absence de trous de poteaux ne permet pas de se faire une idée précise des superstructures, mais des amas de blocs rocheux, repérés sur les bords orientaux, attestent un renforcement des parois et peuvent être, à la limite, considérés comme un début de maçonnerie en pierre sèche. »

A Dolni-Vestonice — où une célèbre figurine en argile cuite a été mise au jour — le professeur Klima fut longtemps intrigué par la présence d'une habitation, située nettement à l'écart des autres. Après une étude poussée de son foyer, il est apparu qu'elle devait servir d'atelier au « sculpteur-sorcier » de la tribu séjournant en ce lieu il y a un peu plus de 20.000 ans.

Une question importante se pose ici. Quelle était l'importance numérique des groupes humains vivant dans ces « collectifs » faits de peaux, de bois et de gros cailloux? Il est certes difficile d'apporter une réponse vraiment satisfaisante. Les archéologues tchécoslovaques pensent, cependant, que 20 à 25 personnes pouvaient aisément travailler et dormir dans les fosses couvertes de Barca. Pour Dolni-Vestonice, ils avancent le chiffre d'une vingtaine d'occupants par cabane, ce qui porterait à près de 200 membres l'effectif de la communauté répartie sur l'ensemble du site.

En ce qui concerne les structures sociales de ces chasseurs de mammouths, l'école soviétique a formulé l'hypothèse d'une division en groupes organiques qu'elle désigne sous le nom de « clans ». Chaque habitation paléolithique, si petite fut-elle, aurait appartenu à l'une de ces cellules de base qui pouvaient d'ailleurs, en cas de besoin, se scinder en deux pour former des sortes d'« intra-clans ».

Cherchant à déterminer la place réservée aux femmes dans ce contexte, certains préhistoriens des pays de l'Est ont avancé l'idée « qu'il faut accorder à la famille une importance particulière en tant qu'unité naturelle, dès l'époque des chasseurs prédateurs ». Quoi qu'il en soit, souligne Ladislav Banesz, « il y a 30.000 ans, une forme supérieure d'organisation sociale se manifestait déjà, en fonction des exigences d'un milieu spécifique. L'aménagement des habitats, la chasse, l'approvisionnement en produits de cueillette et en matières premières, imposaient une stricte division des tâches au sein de collectivités évoluant encore au niveau d'une économie non productive. » Les hommes s'occupaient du ravitaillement en viande. Les femmes étaient spécialisées dans la cueillette des produits de la terre. On sait aussi que les travaux de couture leur revenaient. Pas grand chose de changé sous le soleil.

ENFIN L'ART APPARAIT

L'invention de l'art demeure l'un des plus beaux titres de gloire de l'homme du paléolithique supérieur. Avant lui, le Néandertalien avait, certes, témoigné d'un certain sens esthétique, en collectionnant, par exemple, des pierres aux formes étranges et d'élégants coquillages. Mais c'est à ses successeurs que devait revenir le mérite de maîtriser le trait peint ou gravé sur le roc.

Les débuts furent marqués par de maladroits tâtonnements. Dans sa chronologie, André Leroi-Gourhan retient l'existence d'une période pré-figurative se situant aux alentours de moins 35.000 ans. Des objets de parure surgissent alors, ainsi que des plaquettes « portant des incisions régulièrement espacées ». Toutefois, on ne connaît encore aucune figure explicite.

De moins 30.000 à moins 20.000, la période dite primitive voit se multiplier, dans un premier temps, « des images très abstraites et très gauches, représentant des têtes ou des avant-trains d'animaux généralement inidentifiables, mêlés à des représentations génitales ». Puis, les figures animales s'affirment, tandis que la femme est parfois sculptée, selon des canons fort particuliers: visage minuscule, membres quasi inexistants, fesses et seins hypertrophiés.

Les cinq millénaires suivants (de 20.000 à 15.000) confirment de façon éclatante les promesses des époques précédentes. Dans la célèbre grotte de Lascaux, pour ne citer qu'elle, la technique est complètement contrôlée, les peintures des grands panneaux témoignent de qualités artistiques exceptionnelles.

A la période classique (de moins 15.000 à moins 11.000), se rattachent des sites fameux comme Font-de-Gaume, les Combarelles, Niaux, Les Trois-Frères, Montespan et Altamira. Désormais, l'art « aboutit à un réalisme de formes très poussé; les animaux sont intégrés dans des proportions proches de celles du vivant, et le remplissage comporte une foule de détails de pelage et de modelé très précisément codifiés ».

Aux alentours de moins 10.000, les peintres abandonnent les cavernes pour se consacrer surtout à la décoration d'objets facilement transportables. Vers moins 9.000, enfin, commence un irrémédiable déclin. La grande culture du paléolithique supérieur est à bout de souffle. Ses modes d'expression sombrent « dans la gaucherie et le schématisme ».

LA VOIE DE LA MAGIE

Grand découvreur de sites et théoricien longtemps incontesté, l'abbé Henri Breuil, surnommé le « pape de la préhistoire », a toujours affirmé que l'art paléolithique correspondait d'abord à des intentions magico-religieuses.

« A l'époque de la grande chasse, écrivit-il, la poursuite quotidienne du gibier et sa multiplication dans la nature, ou le succès des expéditions de chasse, étaient la préoccupation primordiale: que le gibier foisonne, qu'il procrée et qu'on puisse en abattre suffisamment, était la grande affaire. Pour la réaliser, des rites étaient requis, danses et cérémonies, dont tous les peuples chasseurs nous donnent d'innombrables exemples, où le « Grand Esprit » qui régit les forces de la nature est invoqué, où les âmes des animaux abattus sont conviées à se réincarner.

« Au cours de ces cérémonies, les ministres de ce culte intervenaient, des panneaux gravés étaient exécutés selon des méthodes et des techniques auxquelles étaient entraînés des artistes professionnels, aussi professionnels que ceux de l'Egypte, de la Grèce et de nos cathédrales.

« Ainsi, quand nous visitons une caverne ornée, nous pénétrons dans un sanctuaire où, il y a des millénaires, se sont déroulées des cérémonies sacrées, dirigées sans doute par les grands initiés de l'époque et introduisant les novices à recevoir, à leur tour, les instructions fondamentales nécessaires à la conduite de leur existence. Les fresques, les gravures exécutées par les ancêtres, étaient l'objet de gestes rituels et l'occasion des enseignements jugés indispensables, et de nouvelles fresques exécutées sur ces mêmes parois, venaient compléter la décoration de ces lieux réservés ». *(H. Breuil: « 400 siècles d'art pariétal »).*

Christian Zervos développe la même idée en ces termes: « Si la longue théorie d'animaux figurés par l'homme paléolithique se présente la plupart du temps comme définition de l'art et chant des choses, c'est l'intention originelle qui compte; l'appel de l'homme à l'Invisible pour la satisfaction par voie mystérieuse, sacrée, singulière, des besoins qui l'aiguillonnent. »

Dans ces conditions, « son activité artistique répond à ses voeux de chasseur que les troupeaux sauvages se multiplient et que le produit de la chasse soit abondant. De même, lorsqu'il fixe les images des lions, des ours, des loups et d'autres bêtes fauves, c'est surtout dans l'espoir de les conjurer et de rendre leurs attaques inefficaces. »

Vivant au sein d'une micro-société essentiellement préoccupée de sa survie et par définition peu sécurisée, l'homme de l'Age du Renne — dont on sait, depuis les travaux de l'américain Alexander Marshack, qu'il gravait des calendriers lunaires — se sentait, à coup sûr, profondément dépendant des forces du grand univers. Tout ce qu'il observait autour de lui relevait de l'inexplicable: le mouvement des astres, le flux et le reflux de l'océan, le retour cyclique des saisons, les menstrues des femmes, les migrations animales, le déchaînement de la foudre, l'écoulement silencieux des fleuves roulant vers des horizons inconnus etc. Le spectacle permanent de la nature encore vierge ne cessait de lui prouver qu'il ne pesait pas lourd, en tant qu'individu, face à la souveraineté d'un monde incompréhensible et trop souvent hostile.

Pourtant, s'il ne voulait pas crever de frayeur, de faim et de froid, il fallait bien qu'il l'apprivoise, ce monde. Pour cela, une seule solution s'offrait à lui: nouer le dialogue avec la puissance cachée, maîtresse à la fois du cosmos et de son propre destin d'homme; la gagner à sa cause, s'unir à elle par l'offrande, le rite et la communication directe.

Encore devait-il trouver les médiateurs capables de parler le langage des dieux. Seuls pouvaient remplir cet office quelques individus exceptionnels, des visionnaires possédant le don de la transe. Ainsi apparurent sans doute, il y a fort longtemps, les premiers « chamans »; les messagers des hommes auprès des sphères lointaines. Ceux qui savaient négocier avec l'Invisible, obtenir de lui des chasses fructueuses et le retour quotidien du soleil.

Inséré efficacement dans l'ordre de l'univers par l'intermédiaire de ses magiciens, l'homme préhistorique surmontait ainsi la précarité de sa condition. Il pouvait demander et être exaucé. Dans cette perspective, comme le note Christian Zervos, « par la représentation graphique peinte ou sculptée en relief et en ronde-bosse de tel animal, il espérait se rendre le sort favorable à la capture de cet animal, conformément au principe de la magie que celui qui est maître de l'image d'une chose, peut exercer sur celle-ci une prise de possession totale.»

Le sorcier de l'Age du Renne pouvait même aller plus loin et pratiquer une forme d'envoûtement tout à fait semblable à celle que l'on rencontre encore dans nos campagnes du XXème siècle. Il sculptait ou peignait une effigie de la bête que les chasseurs souhaitaient abattre, et la lardait de coups de sagaie. Pour lui, ce simulacre de mise à mort devait automatiquement « déclencher une action analogue et les mêmes conséquences dans la réalité ».

C'est ainsi que l'on peut voir dans la grotte de Montespan, en Haute-Garonne, un ours, un cheval et un félin dont les corps présentent de multiples traces de perforations. A Bernifal, en Dordogne, un mammouth vacille, atteint de deux traits. De même, à Lascaux, un grand taureau noir est blessé au mufle, tandis qu'une volée de sagaies converge vers un cheval peint sur le plafond d'un des diverticules.

DES GENIES ET DES CANCRES

Des rivages de l'Atlantique à la Sibérie, l'art paléolithique a connu, durant une très longue période, une indiscutable continuité. Partout s'impose la même conception naturaliste dominante. Partout, on constate une unité au niveau de la technique et de l'exécution. En Asie septentrionale, comme en Occident, l'homme de la pierre taillée a utilisé, par exemple, des cupules naturelles pour figurer un oeil, des sillons pour suggérer un sol, des bosses afin d'esquisser une échine. En fait, nous retrouvons, à des milliers de kilomètres de distance, des modes d'expression identiques, liés à la chasse. Dans cet ensemble, on ne connaît qu'une seule exception notable: l'Ukraine où, il y a 14.000 ans, s'est développée une école marginale entièrement tournée vers l'abstraction et les formes géométriques.

Mais s'ils parlaient le même langage, les peintres préhistoriques n'eurent pas tous du génie. Certaines grottes — les plus connues, celles dont on parle toujours, celles que l'on photographie pour illustrer les manuels — nous livrent des oeuvres éblouissantes s'inscrivant parmi les plus belles créations de l'humanité. Il n'empêche que l'Age du Renne connut aussi des gribouilleurs totalement dépourvus de talent. Des cancres intégraux.

L'art rupestre et l'art mobilier donnent à peu près, dans toute leur zone de diffusion, un pourcentage constant de chefs-d'oeuvre: 15 à 20%. Le reste témoigne bien souvent d'une réelle indigence. Les grottes d'Altamira, Lascaux, Niaux, Rouffignac, par exemple, portent la marque de maîtres authentiques qui dirigeaient sans doute ce que nous sommes tentés d'appeler des «ateliers». Mais quand on compare une peinture de la meilleure facture avec une tentative maladroite inscrite sur une paroi voisine, il faut se méfier de toute conclusion hâtive. Bien que plus archaïque en apparence, la seconde n'est pas obligatoirement plus ancienne. Elle peut aussi bien avoir été brossée par un « élève » mal dégrossi et dater de la même période que la première.

C'est pourquoi, en préhistoire, les méthodes d'approche trop rigides présentent bien des défauts. Dans ce domaine, délicat entre tous, le chercheur doit d'abord savoir douter.

UN SYMBOLISME CODE

Cette vertu du doute, André Leroi-Gourhan n'a jamais cessé de la pratiquer. Cela lui a permis d'étudier l'art préhistorique sous un angle absolument nouveau, et d'ouvrir des perspectives qui tendent à remettre en question certaines interprétations uniquement axées sur le rôle de la magie.

A l'époque paléolithique, note-t-il, la peinture et la gravure embrassaient trois catégories de sujets: les animaux, les êtres humains et les signes, ce dernier terme désignant des dessins généralement abstraits dont la lecture a toujours fait problème. On a voulu y voir « des pièges, des huttes, des pièges-huttes à esprits, des armes ou des blasons. » Il s'agirait plutôt de symboles dérivant de représentations sexuelles figuratives (vulves ou phallus) et prenant, à force de stylisation, l'aspect de tirets, de bâtonnets, de lignes de points, d'ovales, de triangles, de rectangles, d'accolades, de figures cloisonnées etc.

Utilisant les ressources de l'informatique, A. Leroi-Gourhan a essayé de mettre de l'ordre dans ce foisonnement d'emblèmes. Il a fini par conclure que les tirets, les bâtonnets et les lignes de points sont des signes masculins et les autres des signes féminins. La même répartition, codée selon un système binaire, se retrouve dans les représentations animales qui, d'après la nouvelle théorie, se divisent en quatre groupes:

A. Le cheval.

B. Les bovinés.

C. Le cerf, le mammouth, le bouquetin, le renne.

D. L'ours, le félin, le rhinocéros.

Les groupes A et C possèdent un potentiel symbolique mâle, le groupe B un potentiel symbolique femelle, tandis que le groupe D est tantôt mâle, tantôt femelle, selon les lieux et les époques.

A l'intérieur de la grotte, animaux et signes ne sont pas disposés au hasard, mais selon un « couplage » qui réunit systématiquement des valeurs symboliques mâles et femelles, le cheval accompagné du bison formant le binôme de base. La grotte elle-même constitue un ensemble topographique cohérent où les couples apparaissent dans un certain ordre. « Les figures A et B occupent préférentiellement les grands panneaux ou la partie centrale du trajet décoré; les figures C et D la périphérie des panneaux ou les régions marginales des trajets, le groupe D se situant dans les parties les plus retirées. »

Enfin, bien que quelques-uns soient superposés aux animaux, les signes « occupent en général un espace séparé, soit la bordure des panneaux, soit le plus souvent une niche, un diverticule, une fente plus ou moins grande » *(La Recherche N.° 26).*

Quelles conclusions peut-on tirer de ces constatations?

Selon A. Leroi-Gourhan, il est indéniable que la décoration pariétale répond à une formule globale fondée sur l'opposition et la complémentarité de deux

COUPLE BISON—CHEVAL

LE YIN—YANG CHINOIS

entités, comme cela se voit dans de nombreuses traditions religieuses (par exemple le yin et le yang des Chinois). Cependant, « cet assemblage symbolique de figures ne matérialise pas des rites. Il n'en était que le décor. » Ainsi, « la religion préhistorique est démontrée, mais dans une forme abstraite. » Son contenu mythologique demeure pratiquement insaisissable, faute de documents révélant la nature profonde de la pensée des hommes qui vivaient à l'Age du Renne. Dans ces conditions, puisque rien ne peut venir les confirmer, il convient de renoncer aux hypothèses relatives au chamanisme, à l'envoûtement du gibier, à la magie de la fécondité ou aux rites d'initiation.

Cette attitude prudente se comprend parfaitement; un savant doit toujours s'efforcer d'appuyer sa démonstration sur des faits dûment enregistrés. Mais c'est là justement que le bât blesse. Les assises de la théorie du couplage sont-elles inébranlables? Nombre de spécialistes français et étrangers émettent, sur ce point, des doutes sérieux. Comme l'écrit en particulier Denise de Sonneville-Bordes: « les modalités d'application de la méthode et les résultats obtenus laissent à désirer. A. Leroi-Gourhan suppose aux hommes du paléolithique supérieur, pour toute la durée de cette époque de 20 à 30 millénaires, un même système de croyances, une mythologie entièrement et exclusivement fondée sur leur conscience de la nature opposée et complémentaire des deux sexes.

« En fait, aucune interprétation unique ne peut rendre compte de la totalité des oeuvres d'art préhistoriques. Sans doute la magie sympathique, comme dans une certaine mesure la préoccupation d'un monde sexuellement divisé, mais aussi l'illustration des récits, le goût du délassement et du jeu, et pourquoi pas, le sentiment esthétique, décoratif ou non, jouèrent-ils leur rôle, sans qu'il soit aisé pour l'observateur moderne privé de toute source d'information, de démêler l'écheveau des motivations paléolithiques. »

Le débat reste donc ouvert. Sera-t-il jamais clos?

Dans cette controverse — dont le ton peut devenir parfois assez âpre — les défenseurs de la magie préhistorique disposent d'un argument de poids. Monsieur et Madame de Cro-Magnon manifestaient une véritable passion pour les parures: colliers, bracelets, pendeloques etc. Or, toutes les études ethnographiques le démontrent, chez les peuples traditionnels, ces ornements n'avaient pas seulement pour but de satisfaire la coquetterie de ceux qui les portaient. Ils étaient essentiellement rituels et protecteurs.

Prenons le cas de la résille. Son existence est attestée dans plusieurs tombes très anciennes du site de Grimaldi, à la frontière franco-italienne. Le mince tissu de mailles, fabriqué probablement à l'aide de fibres végétales, a disparu. Restent uniquement, autour des crânes, les canines de cerf, les vertèbres de poissons qui avaient été enfilées bord à bord pour former une sorte de couronne.

Ces résilles, constate Christian Zervos « avaient incontestablement un pouvoir magique. La couronne ainsi que le collier, le bracelet et la bague ne constituent pas des bijoux au sens où nous l'entendons. Epousant la forme du cercle magique, tous ces objets sont avant tout des ligatures pour attacher la vie étroitement au corps du porteur, lui conférer la santé, l'intelligence, la force. C'est du moins ce que nous apprend le rituel de la haute période de la civilisation égyptienne. Ce sont également la couronne, les bracelets, les colliers qui conféraient aux rois de Mésopotamie leur haute dignité et leur pouvoir de gouverner, conception qui s'est perpétuée jusqu'à la fin de l'empire assyrien. Et l'on sait que ces deux civilisations donnent nettement l'impression d'avoir continué la tradition magico-religieuse du paléolithique supérieur. » *(C. Zervos: « L'art de l'époque du renne en France »).*

Le collier et le bracelet, portés aussi bien par les hommes que par les femmes, se retrouvent dans toutes les cultures. Ils possèdent une valeur d'amulette et des propriétés magiques. Il y a 20 ou 25.000 ans, les préhistoriques suspendaient à leur cou ou à leurs poignets des cristaux translucides, des pierres colorées, des fragments d'ambre, de petits galets, des pièces d'ivoire ou d'os finement sculptées en forme de tête d'animal, de grelot ou de double olive. Geste gratuit? C'est difficile à croire.

Les coquillages jouaient également un rôle important dans la fabrication des parures. Certains venaient de fort loin et devaient faire l'objet d'un véritable trafic. Si l'on examine de près le symbolisme de la coquille chez les peuples dits primitifs, on ne tarde pas à s'apercevoir qu'elle est presque toujours en liaison avec l'idée de fécondité et de naissance. En tant qu'ornement funéraire, elle porte en elle la promesse d'un retour à la vie.

Les dents maintenant. L'homme de Cro-Magnon affectionnait surtout celles du cerf et de l'ours. Lorsqu'elles venaient à manquer, il en taillait de fausses dans un morceau d'ivoire ou de bois de renne. André Virel souligne que la dent est un symbole du temps. Souvent, elle signifie, en outre, puissance, jeunesse et vitalité. Quant à l'ours et au cerf, ce ne sont pas des animaux neutres.

L'ours, chez de nombreuses populations de chasseurs, est considéré comme l'ancêtre de l'espèce humaine et l'initiateur présidant aux mystères des « passages » (puberté, mort etc.). Le cerf, de son côté, apparaît comme « une image archaïque de la rénovation cyclique » (Mircéa Eliade). En raison de sa ramure exubérante qui se renouvelle périodiquement, il évoque les rythmes secrets de la croissance et de la renaissance. « On retrouve aussi bien ces valeurs dans les ornements des baptistères chrétiens que dans les traditions musulmanes, altaïques, Maya ou celles des indiens Pueblos » *(Dictionnaire des symboles).*

En Occident, le cerf est devenu le médiateur entre

le ciel et la terre. Une légende nous dit que Saint Hubert fut « un chasseur converti par un cerf qu'il forçait, lequel se tournant vers lui, révéla une croix entre ses bois et le conjura de s'amender sous peine de finir en enfer. »

Les symboles ont la vie dure. Ils défient le temps et l'espace. Parmi ceux qui ne sont pas encore complètement fossilisés, quelques-uns, sans doute, poussent leurs racines jusque dans le terreau de la préhistoire.

III

Pendant trois millions d'années, l'homme a vécu en prédateur. Comme les grands fauves, il tuait pour vivre. A la longue, l'idée lui est venue d'exercer un certain contrôle sur les populations animales dont il dépendait. Il n'y a pas si longtemps, on admettait que la domestication avait fait son apparition au Moyen-Orient — dans le Croissant Fertile et nulle part ailleurs — 7.000 ans avant notre ère. Aujourd'hui, ce vieux schéma craque de toutes parts. Travaillant de concert, zoologues, archéologues et spécialistes de la paléo-économie en sont arrivés à penser que les origines de l'élevage remontent à un passé beaucoup plus lointain.

Dès le vingtième millénaire, les habitants de l'Afrique du Nord n'abattaient pas à tort et à travers le mouflon à manchettes. Ils s'en prenaient uniquement aux broutards et connaissaient peut-être une forme rudimentaire de parcage. Il en allait de même en Palestine pour la gazelle. En Dordogne, 12.000 ans avant J.C., les hommes du renne tuaient seulement les mâles adultes dans le souci de se ménager des réserves sur pied, et il n'est pas téméraire d'admettre qu'ils s'efforçaient eux aussi de limiter les déplacements des troupeaux. Très tôt, des chasseurs « non gaspilleurs » auraient ainsi planifié leur consommation, créant du même coup une relation nouvelle entre eux et l'animal.

Puis, aux alentours de moins 10.000, se manifestèrent les signes annonciateurs de la fin de la dernière glaciation. Le réchauffement du climat entraîna de lentes mais profondes modifications écologiques. Les gibiers traditionnels du paléolithique supérieur disparurent. L'homme dut faire face aux transformations de son environnement; tout doucement, les chasseurs-cueilleurs apprirent à devenir des producteurs de nourriture.

Le passage à ce nouveau mode de vie caractérise ce que l'on nomme le néolithique (littéralement: l'âge de la « pierre nouvelle »). Peu à peu, l'accès à ce stade culturel radicalement différent de tout ce qui avait existé auparavant depuis l'irruption du premier fabricant d'outils, entraîna la mise en place d'un certain nombre d'innovations se situant sur plusieurs plans. L'économie se modifia avec l'essor de la domestication des animaux et la pratique de l'agriculture. Apparurent également la poterie, le polissage de la pierre et des instruments en relation directe avec le travail de la terre: herminettes, faucilles, meules, broyeurs etc. La sédentarisation, enfin, suscita une poussée démographique et des structures sociales inédites. Les villages, les premières cités s'organisèrent, l'appareil architectural accusa un spectaculaire bond en avant, les techniques de navigation se perfectionnèrent.

Une telle révolution ne se fit pas brusquement. Jusqu'au VIIème millénaire avant notre ère, l'évolution fut même très lente et souvent hésitante. Il n'empêche que le mouvement, une fois lancé, ne s'arrêta plus. Si de nombreuses incertitudes planent encore sur ses origines, le néolithique marque, à coup sûr, un seuil décisif dans l'histoire de l'humanité. Avec lui s'imposent des notions résolument modernes: celles de stockage, de gestion, de rendement et de profit. Une société de prévision se dessine. Elle préfigure l'ère de la consommation. La nôtre.

LES URBANISTES DE CATAL HUYUK

En Turquie, sur le plateau anatolien, le site de Çatal Hüyük — découvert et fouillé par l'archéologue britannique James Mellaart — a livré les vestiges de l'une des premières villes du monde. Elle occupait une superficie d'environ treize hectares, les plus vieux niveaux d'habitations remontant à 6.500 ans avant J.C. et les plus récents à 5.700 ans.

« Toutes les constructions, écrit J. Mellaart, furent faites avec des briques séchées au soleil, des roseaux et du plâtre. Les briques rectangulaires, préparées avec de la terre mélangée à beaucoup de paille, avaient été mises en forme dans un moule en bois équarri à la hache ».

Les maisons ne possédaient ni portes ni fenêtres. L'entrée se situait sur le toit en terrasse et l'on descendait à l'intérieur par une échelle. Le trou d'accès servait également de cheminée pour l'évacuation de la fumée des lampes, du foyer et du four à pain. « La cuisine occupait environ un tiers de la surface disponible. Des plates-formes surélevées étaient disposées en forme de L le long des murs. Aussi soigneusement recouvertes de plâtre que le reste de la maison et fréquemment agrémentées de bords arrondis, elles peuvent être considérées comme les prototypes des sofas ou divans turcs et devaient servir pour s'asseoir, travailler et dormir ».

Les constructeurs de Çatal Hüyük ont toujours manifesté un net souci de standardisation et de planification. D'un édifice à l'autre, ils utilisaient les mêmes normes architecturales et une unité de mesure constante, ce qui témoigne de connaissances arithmétiques au moins élémentaires. Selon Mellaart, la suppression des portes correspondait à une préoccupation défensive. Les urbanistes « ne construisirent pas de mur d'enceinte, mais entourèrent la cité d'un mur continu de maisons et de greniers, lesquels étaient accessibles seulement par les toits. Même si un ennemi arrivait à percer le mur, il se trouvait enclos dans une chambre fermée dont l'échelle avait sans nul doute déjà été retirée par les défenseurs qui se trouvaient sur le toit. La prise de la cité aurait nécessité des combats rapprochés de maison à maison si nombreux, que cela était suffisant pour décourager les attaquants. »

La ville possédait de nombreux sanctuaires ornés de peintures murales figuratives ou abstraites, de sculptures représentant des divinités, de cornes et d'ex-voto divers. Des crânes humains y étaient en outre exposés sur des banquettes. Détail qui en dit long sur la transmission de certaines traditions, les motifs géométriques des fresques de Çatal Hüyük rappellent étrangement ceux des tapis, portant le nom de « kilim », que tissent encore de nos jours les paysans anatoliens.

Les rites funéraires ont été bien reconstitués à partir des nombreux documents fournis par les fouilles. Dans un premier temps, le cadavre était exposé en plein air et livré aux vautours qui le décharnaient complètement. On récupérait ensuite les ossements (peut-être à l'occasion d'une cérémonie annuelle) en veillant à ce qu'ils demeurent en connexion anatomique, puis on enveloppait le squelette dans des tissus ou des peaux de bêtes avant de l'ensevelir sous l'une des plates-formes de l'habitation. Des offrandes — bols, coupes, cuillers, vanneries, nourritures diverses — étaient enfouies avec ce qui restait du corps. Les personnages importants, parés de leurs armes et de leurs bijoux d'os, de perles, de coquillages ou de cuivre, avaient droit à une inhumation dans les sanctuaires.

Les habitants de Çatal Hüyük vouaient un culte particulier au taureau et à une déesse de la fécondité, quelquefois représentée un peu comme une Vierge noire avec l'enfant-dieu dans les bras.

L'économie de cette ville préhistorique reposait sur l'agriculture (épeautre, orge, blé, plantes à huile) et l'élevage des chèvres et des moutons. La chasse, cependant, occupait toujours une place appréciable. Les hommes abattaient couramment des aurochs, des sangliers et des cerfs. Il leur arrivait de tuer aussi des ânes sauvages, des chevreuils, des daims, des gazelles, des renards, des loups et des léopards.

Autre activité importante: le polissage de la pierre. Miroirs d'obsidienne, statuettes, têtes de massues finement meulées et percées, bols évidés, palettes pour les cosmétiques, perles travaillées à partir d'un caillou, témoignaient d'un haut niveau de développement technologique.

Çatal Hüyük, cité puissante qui prospérait au milieu de peuplades sous-développées par rapport à elle, n'avait pourtant pas rejeté l'héritage de ses aïeux nomades. Comme le note James Mellaart: « L'art de la peinture murale, les reliefs modelés en plâtre ou taillés dans les murs, la représentation réaliste des animaux, le modelage des bêtes blessées pour les rites de la chasse, l'emploi d'ocre rouge pour certaines inhumations, les amulettes archaïques et enfin certains types d'outils en pierre et la préférence donnée en joaillerie aux coquilles de dentale, étaient des caractères directement transmis par le paléolithique supérieur. » *(J. Mellaart: « Çatal Hüyük »).*

Les premiers citadins d'Anatolie se trouvaient à la charnière de deux mondes. Ils avaient beaucoup appris et peu oublié.

LES ARCHITECTES DE L'IMPOSSIBLE

Si les habitants de Çatal Hüyük inventèrent l'une des plus anciennes forme d'urbanisme connue, les paysans néolithiques de Bretagne, du Portugal, d'Espagne du Sud, des pays scandinaves, d'Irlande et de

Grande-Bretagne furent les pionniers de l'architecture géante. C'est à eux que l'on doit les dolmens et les menhirs. Ces fameux « mégalithes » qui n'ont cessé au cours des siècles de fasciner les imaginations.

A une époque très lointaine, antérieure en tout cas au christianisme, les pierres géantes furent placées sous le patronage d'êtres mystérieux, au premier rang desquels venaient les fées. L'Eglise, par la suite, s'efforça d'orienter les croyances populaires vers des conceptions plus orthodoxes à son goût. La Sainte Vierge vint remplacer Viviane et Mélusine. Quelques coups de goupillon, cependant, ne pouvaient suffire à désarmer les imaginations. Gargantua prit le relais, aidé par les Korrigans, Roland et le Roi Arthur. Tout un contexte foisonnant de légendes se transmit pieusement de génération en génération. Les grands-mères affirmaient, par exemple, qu'à certains moments de l'année menhirs et dolmens partaient en pélerinage vers des lieux inconnus, puis revenaient sagement se planter à leur place. Nombre de contes faisaient allusion à de fantastiques trésors enfouis au pied des dalles, à des fantômes facétieux, à des oiseaux de rêve etc.

Les mégalithes ont aussi donné naissance à diverses coutumes. « L'une des plus répandues, écrit Fernand Niel, consistait à rendre la justice auprès d'eux. Plusieurs dolmens de l'Oise et de l'Eure-et-Loir sont appelés « pierre de la justice. » D'après un document de 1530, on rendait les sentences auprès du menhir de Mesvres (Saône et Loire). Il en était de même dans le département de l'Aisne, pour ceux de Fère-en-Tardenois, de Chavigny et de Vaurézis. Le menhir de Ploeven, dans le Finistère, servait de poteau de justice au XVIIIème siècle. Les condamnés au pilori y étaient attachés avec des cordes, passées dans des entailles horizontales, au nombre de deux, qui se voient encore. Au XIVème siècle, des seigneurs rendaient la justice près d'un dolmen situé aux environs d'Auxerre, et leurs vassaux leur prêtaient foi et hommage au même endroit. A ce sujet, on peut noter également que les peuples de Scandinavie proclamaient leurs souverains « sur des pierres énormes, surmontées transversalement par une autre pierre prodigieuse, placée par la puissance des géants. Il s'agit évidemment d'un dolmen. » Certains menhirs avaient la réputation de guérir les mauvaises fièvres. D'autres rendaient fécondes les femmes qui venaient s'y frotter.

Au début du XIXème siècle, l'archéologie, balbutiante encore, négligea ces racontars à dormir debout, et tenta d'en savoir plus long sur la véritable origine des mégalithes. Hélas trois fois, la « celtomanie » sévissait alors dans toute sa virulence. Les savants de l'époque ne résistèrent pas à la contagion et attribuèrent, à nos ancêtres les Gaulois, ce qui constitue, en fait, la première architecture du monde occidental. En 1862, Alexandre Bertrand, conservateur du Musée des Antiquités Nationales, eut le mérite de comprendre que les Celtes n'avaient jamais été dans le coup. Deux ans plus tard, le baron de Bonstetten proposait carrément de chercher une explication du côté de la préhistoire. Il avait raison, mais dépourvu de moyens précis de datation, il visa nettement trop court. Ses successeurs ne firent pas mieux.

L'ILLUSION MEDITERRANEENNE

Pendant une bonne centaine d'années, en effet, les archéologues ont cru, dur comme fer, que les dolmens et les menhirs étaient des copies plus ou moins maladroites des monuments de la civilisation crétoise. Inutile de discuter; le foyer initial se trouvait en Méditerranée. Les initiateurs, excellents marins, avaient une âme de missionnaire chevillée au corps. Bravant les flots menaçants, ils étaient venus chez les barbares pour leur offrir des techniques nouvelles et une foi religieuse exigeant la construction d'édifices gigantesques. Après une escale en Espagne, ils avaient fini par atteindre la Bretagne aux alentours de 2.000 avant J.C. Dans cette perspective, le cheminement des mégalithes semblait étroitement lié aux routes de l'ambre et de l'étain pendant la haute antiquité.

Quelques mauvais esprits contestèrent cette thèse officielle. De Morgan, Reinach, Breuil, Capitan et Bosch-Gimpera, notamment, affirmèrent qu'il « n'est pas besoin de recevoir un enseignement venant de peuples lointains pour dresser de grosses pierres et les couvrir d'une large dalle. Une telle idée peut venir à tout le monde. » Ces savants avaient d'autant plus raison qu'il existe des ensembles mégalithiques dans des pays aussi éloignés de la Méditerranée que le Sénégal, l'Inde, la Chine, la Corée et le Japon. Mais ils parlaient à des murs. Personne ne se montrait disposé à les écouter.

Et soudain, vers 1960, d'étranges nouvelles parvinrent de Bretagne. Des archéologues tout à fait sérieux et connaissant leurs classiques annonçaient des dates ahurissantes, fondées sur des analyses de charbons de bois par la méthode du carbone 14: 3.280 ans avant J.C. pour un dolmen de Ploudelmézeau dans le Finistère; 3.850 pour un mégalithe de Landéda etc.

Le mouvement n'allait pas tarder à se précipiter, en sorte que l'on « possède aujourd'hui plusieurs séries de repères chronologiques qui, tous, font remonter la construction des premiers dolmens bretons aux premiers siècles du IVème millénaire avant notre ère. Encore ne s'agit-il que de chronologie « C 14 ». Si l'on veut avoir une idée de l'âge réel du matériel daté, une correction doit être faite; à une date C 14 de moins 3.800, il faut ajouter environ 700 ans. Cela reporte, pour la Bretagne, la construction des premiers dolmens au milieu du Vème millénaire.

« Par ailleurs, des résultats très intéressants sont venus du Portugal. Ils ont été obtenus par une autre méthode de datation: la thermoluminescence. Au début de 1975, une série de dates obtenues sur des poteries ont été publiées: le dolmen de Gorgino est daté ainsi de moins 4.440, celui de Poço de Gatiera de moins 4.510, avec une marge d'erreur de 360 ans. » *(Henri de Saint-Blanquat. Science et Avenir N.° 342).*

Conclusion: les prétendus modèles égéens du III ème millénaire sont définitivement enfoncés. L'architecture géante des mégalithes doit bel et bien être considérée comme indigène. C'est sur les bords de l'Atlantique qu'elle est née, parmi des peuplades qui venaient tout juste de commencer à pratiquer l'agriculture et l'élevage.

Ce point capital étant acquis, deux grandes énigmes demeurent: comment furent édifiés ces monuments extraordinaires par la taille et par le poids des pierres employées?A quoi servaient-ils?

UNE TECHNIQUE DEFIANT NOTRE LOGIQUE

Les menhirs de 100 à 150 tonnes sont courants. Certains, comme celui de Locmariaquer, atteignent même 300 tonnes, sinon plus. Les tables de dolmens varient entre 90 et 130 tonnes. Le transport et la mise en place de ces masses énormes exigèrent l'emploi de techniques extrêmement efficaces. Les archéologues ne sont jamais parvenus à les reconstituer intégralement. Bien plus, il apparaît que, malgré nos appareillages sophistiqués et toute notre science, il nous serait assez difficile, aujourd'hui, de faire aussi bien que les paysans néolithiques de l'Ouest européen. Pourtant, les faits sont là. Ils ont réussi. Avec des moyens forcément rudimentaires.

Quelques auteurs, ne reculant devant aucune invraisemblance, ont suggéré que les bâtisseurs de mégalithes avaient été aidés dans leur tâche par de mystérieux représentants d'une civilisation avancée possédant le secret de l'anti-gravitation. Cette hypothèse purement gratuite relève de l'archéologie-fiction et ne saurait par conséquent être acceptée. Dans une perspective plus terre à terre, il semble que la technique à retenir soit celle du halage. Deux solutions s'offraient. Ou bien l'on faisait directement glisser le monolithe sur des rouleaux de bois, ou bien l'on couchait la pierre sur un traîneau confectionné à l'aide de gros madriers. Dans les deux cas, le mode de propulsion était le même.

« Au moyen de cables tressés, les uns tiraient alors que d'autres récupéraient les rouleaux de derrière pour les replacer à l'avant. Après des jours d'effort, et peut-être des semaines ou des mois, l'attelage humain arrivait enfin à destination. Il fallait, à présent, dresser face au ciel le géant de pierre. Pour cela, il était amené au bord d'un trou creusé préalablement et, très lentement, on l'introduisait dans la cavité pour le mettre en position verticale, toujours à l'aide de madriers et de cordages.

« S'il s'agissait d'un menhir, le travail était terminé. Pour un dolmen, restait le délicat problème de la dalle de couverture, la plus lourde de l'édifice. On établissait alors de grandes rampes de terre et de pierres jusqu'au sommet des supports déjà en place, et l'on reprenait le halage jusqu'à la pose définitive de la couverture. Pour certains archéologues, ces rampes expliqueraient la quantité de dolmens enterrés sous des tumulus.

« Cette technique de construction, et surtout de transport, n'est pas acceptée par tous les chercheurs, car les traces de ces chemins ne sont plus décelables. Pourtant, elle reste, jusqu'à présent, la solution la plus rationnelle. » *(D. Riba et J. Moulin: « A la recherche des premiers bâtisseurs »).*

L'ethnographie confirme effectivement cette conception d'un travail exigeant des moyens plutôt sommaires et une dose infinie de patience. Alfred Métraux, par exemple, rappelle que « les Marquisiens ont inclus dans la maçonnerie de leurs sanctuaires des blocs pesant plus de 10 tonnes. Ils étaient traînés sur des plans inclinés en terre ou en cailloux, ou simplement portés sur des brancards à la force du poignet. » En Asie du Sud-Est, note Henri de Saint-Blanquat, « on a vu transporter un bloc de onze tonnes destiné à constituer la dalle de couverture d'une tombe. Le transport s'est fait à l'aide d'un traîneau tiré par 550 hommes sur trois kilomètres, avec à la fin une rampe de bûches pour hisser le bloc sur la tombe. »

Dans la seconde moitié du XIXème siècle, au nord du Pakistan oriental, les Khasias élevaient encore des menhirs. Selon Fernand Niel, « ils glissaient sous le bloc, perpendiculairement à sa longueur, trois ou quatre troncs d'arbre assez gros. Sous ces derniers, on passait de chaque côté du bloc, deux longues perches, lesquelles étaient alors parallèles au monolithe. Enfin, sous ces perches, on glissait toute une série de bambous, perpendiculaires à la pierre et par conséquent parallèles aux troncs d'arbres placés les premiers. On avait ainsi une grande claie sur laquelle reposait le menhir. Des hommes, au nombre de cinq par bambou, pouvaient alors soulever la claie et son menhir couché dessus. Si ces bambous étaient au nombre de dix, de chaque côté du bloc, soit vingt en tout, une centaine d'hommes participaient donc au transport. En trois heures, le bloc pouvait ainsi parcourir un kilomètre et demi en pleine montagne. »

Rapportée en 1876 par un certain Lewis, dans un article intitulé *« Construction des monuments mégalithiques dans l'Inde »,* cette technique paraît valable pour un menhir pesant de 4.000 à 5.000 kilos maximum et rappelle celle qu'utilisaient les Marquisiens. En recourant à des moyens analogues, Thor Heyerdahl, pour sa part, a fait redresser, sur l'île de Pâques, une statue d'une trentaine de tonnes. Une autre expérience, effectuée à Stonehenge, en Grande-Bretagne, a prouvé qu'il suffit de douze hommes pour déplacer un bloc de 2.000 kilos, à l'aide d'un traîneau glissant sur des rouleaux de bois.

En somme, les opérations de transport et de levage ne semblent guère poser de problèmes particuliers jusqu'à une trentaine de tonnes. Au delà de ce seuil, les observations récentes font défaut. On sait cependant qu'en 1585, pour l'érection à Rome de l'obélisque de la Place Saint-Pierre (510 tonnes), il fallut employer 900 hommes, 75 chevaux et 40 treuils. Par ailleurs, il est certain que les égyptiens sont parvenus à tirer, sur du limon gras, des masses de l'ordre de mille tonnes au moins.

Théoriquement, donc, tout ou presque, paraît possible à condition de disposer de beaucoup de temps et d'énormément de muscles. Mais, comme l'a bien montré Fernand Niel, une étude sérieuse des mégalithes met en évidence des anomalies qui donnent à réfléchir.

« Nous pouvons imaginer tranquillement, écrit cet auteur, le cheminement sur rouleaux d'un bloc équarri, sur une chaussée à peu près plane. La réalité, cependant, a été différente, au moins en de multiples cas. En principe, un menhir n'est généralement pas un cylindre, ni un parallélépipède. Nombreux sont ceux qui ont, non seulement la forme « cigare », mais aussi la forme « poire », avec parfois des protubérances qui devaient rendre très difficile le transport sur rouleaux. Quant à certains, nous nous demandons comment on a pu faire. Ils sont trop « ventrus » pour qu'on puisse les propulser sur des troncs d'arbres. Les a-t-on fait rouler à la façon d'un tonneau, à l'aide de leviers? Les a-t-on halés, en force, sur un terrain préparé? Ce sont là, reconnaissons-le, des solutions désespérées et, pour ces blocs informes, le problème demeure entier. » De même les aspérités considérables existant sur certaines tables de dolmens, excluent formellement tout cheminement direct sur des rouleaux. Reste le traîneau, bien sûr. Mais pour des masses de 80 tonnes bon poids, cette solution, avouons-le, n'est pas tellement évidente.

Tout se passe comme si les hommes du néolithique avaient recherché la difficulté pour le plaisir. « On voit, dans les alignements de Carnac, des monolithes aux formes rebondies qui ne se prêtaient guère à un dressement à la verticale. Au grand cromlech d'Avebury, des menhirs de forme carrée ont été dressés sur l'une de leurs pointes, alors qu'il eût été bien plus facile de le faire sur un côté ». *(F. Niel: « La civilisation des mégalithes »).*

Et ce ne sont là que quelques exemples, parmi bien d'autres. Alors, les spécialistes se grattent la tête. Ils cherchent et ne trouvent pas. Il y a 6.000 ans, de simples fermiers préhistoriques possédaient, bien avant les égyptiens, un savoir faire dont les subtilités échappent toujours aux super-techniciens qui sont parvenus à faire cahoter une automobile sur le sol de la lune.

DES OBSERVATOIRES ASTRONOMIQUES

Les dolmens étaient des tombes collectives, mais certains furent vraisemblablement utilisés comme sanctuaires. Avec les menhirs, la question se complique. Un seul point fait l'unanimité parmi les archéologues: ils sont contemporains des dolmens, parce qu'on trouve, au pied des uns et des autres, les mêmes outils de pierre et les mêmes tessons de poterie. Un point c'est tout. Dès qu'il s'agit de dire à quoi servaient les pierres dressées, les opinions les plus contradictoires entrent en concurrence.

Nous ne retiendrons ici que l'hypothèse la plus séduisante. Dès 1805, J. Cambry avança l'idée que les monolithes bretons avaient, sans doute, été liés à un culte du soleil. A partir de 1916, des mesures au théodolite confirmèrent partiellement cette théorie, dite « solsticiale ». Dernièrement, un universitaire britannique, le professeur Alexander Thom, a rassemblé tout un arsenal d'informations tendant à établir que les alignements de Carnac et les menhirs disposés en cercle (pour former ce que l'on appelle des cromlechs) représenteraient effectivement de véritables observatoires astronomiques.

Le recours à une méthode statistique tout à fait nouvelle, lui a permis, en premier lieu, de démontrer que les bâtisseurs néolithiques employaient deux unités de mesure: le « yard mégalithique » (0,829 mètre) et la « toise mégalithique » (2,5 yards mégalithiques). Alexander Thom, calculant ensuite par la trigonométrie la longueur totale de chaque file dans les alignements de Carnac, s'est rendu compte « que les emplacements des pierres avaient été déterminés complètement, d'un bout à l'autre », et qu'ils ne devaient, par conséquent, rien au hasard. Quand, à Kermario par exemple, des courbes apparaissent dans les files, il semble qu'elles furent également intentionnelles et dessinées selon un procédé utilisant la projection sur le sol de triangles rectangles, dont plusieurs « satisfont exactement la relation de Pythagore ». Une grande précision entrait donc dans la composition de ces ensembles de menhirs destinés, selon toute vraisemblance, à fournir des systèmes de visée permettant d'observer le soleil, la lune et les étoiles à leur lever et à leur coucher.

« Lorsque nous examinons, écrit A. Thom, des sites solaires ou lunaires, nous trouvons, en beaucoup d'endroits, des dispositions telles que des différences de déclinaison d'une minute d'arc, ou moins encore, pouvaient être détectées. » *(Science et Avenir N.° 338).* Selon cet auteur, le grand menhir brisé de Locmariaquer, en bordure de la baie de Quiberon, aurait été notamment l'élément essentiel d'un gigantesque observatoire servant à la prédiction des éclipses.

Ce souci de connaître à l'avance le mouvement des astres, correspondait probablement à des motivations d'ordre religieux. Mais, faute de documents archéologiques suffisants, il demeure impossible, pour le moment, de définir les croyances de l'époque. Toutefois, comme le souligne Mircéa Eliade dans son *« Traité d'histoire des religions »*, il n'est pas exclu que les pierres elles-mêmes aient possédé une valeur sacrée. Les menhirs paraissent avoir joué en particulier un rôle de gardiens de sépultures. Dans diverses traditions, « ils sont censés protéger contre les animaux, les voleurs et surtout contre la mort; car à l'image de l'incorruptibilité de la pierre, l'âme du défunt devait subsister indéfiniment sans se disperser. L'éventuel symbolisme phallique des pierres tombales préhistoriques, confirme ce sens, le phallus étant un symbole de l'existence, de la force, de la durée. »

Chez certaines tribus des Indes, « les mégalithes ont pour but de fixer l'esprit du mort et de lui établir un logement provisoire dans le voisinage des vivants et, tout en lui permettant d'influencer la fertilité des champs par les pouvoirs que sa nature spirituelle lui confère, de lui interdire d'errer et de devenir dangereux ». De même, au Vietnam, les pierres levées sont toujours considérées comme abritant des génies protecteurs. « Elles servent d'écran contre les forces néfastes et les détournent. »

Tous les peuples, à un moment ou à un autre de leur histoire, ont vu dans l'élément minéral un trait d'union entre le ciel et la terre. La pierre, dans les cultures traditionnelles, est vivante et porteuse de vie. « En Grèce, après le déluge, les hommes naquirent de pierres semées par Deucalion. L'homme naissant de la pierre se retrouve dans les récits sémitiques, et certaines légendes chrétiennes en font même naître le Christ. Sans doute faut-il rapprocher ce symbole de la transformation des pierres en pain dont parle l'Evangile (Mat. 4-3). Beith-el (la pierre sacrée signifiant

« maison de Dieu ») serait devenue Beith-Lehem (la maison du pain); et le pain eucharistique a suppléé la pierre comme lieu de la présence réelle. En Chine, Yu-le-Grand naquit d'une pierre et son fils K'i d'une pierre également qui se fendit du côté nord. Ce n'est sans doute pas un hasard si la Pierre philosophale du symbolisme alchimique est l'instrument de la régénération ». *(Dictionnaire des symboles).*

LE PORTIQUE MAGIQUE

A propos des dolmens, le professeur André Varagnac a tenté de dépasser les interprétations admises par la majorité des préhistoriens. Le point de départ de sa démonstration repose sur les constatations suivantes:

Premièrement: « L'allumage de feux nouveaux destinés à purifier la communauté soit saisonnièrement, soit en cas d'épidémies, comptait parmi les rituels néolithiques. Des traces de feux cultuels ont, en effet, été relevées dans de nombreux édifices de cette époque ».

Deuxièmement: Bon nombre de dolmens en forme de couloir (les « allées couvertes ») « ont leur entrée marquée par une dalle verticale de faible hauteur, échancrée largement en son milieu à la manière de la demi-lune d'une guillotine. Une telle échancrure est un arceau inversé. Enfin, il a été noté, plus d'une fois, que les constructions mégalithiques, au flanc ou à l'intérieur d'un tumulus, se bornent à un portique ne menant à rien et se suffisant en quelque sorte à lui-même » *(A. Varagnac: « L'homme avant l'écriture »).*

Conclusion: l'arceau (souvent représenté sur les céramiques dolméniques), le portique et le feu paraissent avoir joué un rôle important dans la religion des premiers bâtisseurs.

Peut-on aller plus loin? Oui, si l'on se réfère aux travaux d'Uno Harva, un folkloriste finlandais qui a laissé la description d'une fête célébrée, il n'y a pas si longtemps encore, le second dimanche après la Pentecôte, dans les villages mordves de Russie centrale, et qui se traduisait par l'offrande de victuailles au « Grand Dieu », ainsi que par le passage du bétail sous un arc édifié pour la circonstance.

« Tantôt, deux vieillards plantaient chacun un tronc d'arbre, ces troncs étant inclinés l'un vers l'autre et liés de manière à figurer un portail rudimentaire. Tantôt, on creusait une tranchée que l'on recouvrait en son milieu de planches et de terre, créant ainsi un tunnel sous lequel s'engouffraient les troupeaux. Dans les deux cas, les vieillards faisaient, auprès de l'arc ou du tunnel, un feu, obtenu par friction de deux éléments de bois. Le bétail devait traverser, non seulement le porche ou le tunnel, mais aussi la fumée du feu nouveau. Tandis que vaches, moutons et porcs accomplissaient ce parcours, toute la population à genoux priait à haute voix. »

Un tel cérémonial, estime André Varagnac, n'est sans doute pas très éloigné des pratiques religieuses mégalithiques. Si l'on admet le rapprochement, la présence d'arceaux et de portiques aux temps néolithiques rend probable l'existence, durant la préhistoire, d'un rituel fécondant et prophylactique. « Passer le portique, c'est se débarrasser de la maladie, des germes de mort. C'est une dé-possession, puisque toute maladie est attribuée, dans les croyances archaïques, à la présence dans le corps du patient, d'un esprit maléfique ». Le franchissement de la voûte se présente comme un acte magique, destiné à exalter les forces de la vie et à neutraliser celles du mal. Alliés au feu, le portique, l'arceau, la galerie deviennent les portes de la lumière. Ils se définissent comme des architectures symboliques protégeant la demeure des vivants et la maison des morts.

Longtemps, le monde rural a été un véritable conservatoire de coutumes, trouvant leur origine dans la préhistoire. « Les premiers évêques, rappelle Franck Bourdier, interdirent de faire des serments par la lune, le soleil ou sur la tête des animaux; interdiction aussi de faire des offrandes aux pierres, aux arbres et aux bois sacrés, de se déguiser en cerf ou en veau, au début de l'année, et d'allumer des feux de joie accompagnés de sauts et de danses au retour de la nouvelle saison. On sait que l'Eglise ne triomphera de beaucoup de ces pratiques qu'en les adoptant; les feux de joie seront ceux de la Saint-Jean; les danses sacrées seront tolérées dans beaucoup d'églises jusqu'à la Réforme; aujourd'hui, on danse encore dans l'église de Barjols (Var). Des croix seront mises sur les pierres sacrées; l'habitude d'allumer des cierges en plein jour, jadis jugée horrible, sera commercialisée, ainsi que la croyance aux vertus des os-reliques; la Sainte Vierge ou les Trois Marie se substitueront aux déesses-mères, et les « miracles » continueront à évoquer une ambiance religieuse très primitive ». *(F. Bourdier: « Préhistoire de la France »).*

Au début du XVIIème siècle, les Basques se souvenaient encore de divinités et de rites extrêmement anciens. Pour eux, ni Maïa (la terre-mère) ni Jaun Gorri (le dieu solaire), n'étaient morts et les femmes, à Hendaye, dansaient autour des vieilles pierres levées. Le Parlement de Bordeaux cria à la sorcellerie, et orchestra un procès resté fameux, qui se termina par de nombreuses condamnations au bûcher. Cela n'empêcha pas ce peuple obstiné de continuer à dresser des stèles funéraires, qui descendaient en droite ligne des menhirs néolithiques.

Jusqu'à la seconde moitié du XVIIIème siècle, les cimetières basques n'ont pratiquement pas changé

STELE FUNERAIRE BASQUE (1550)

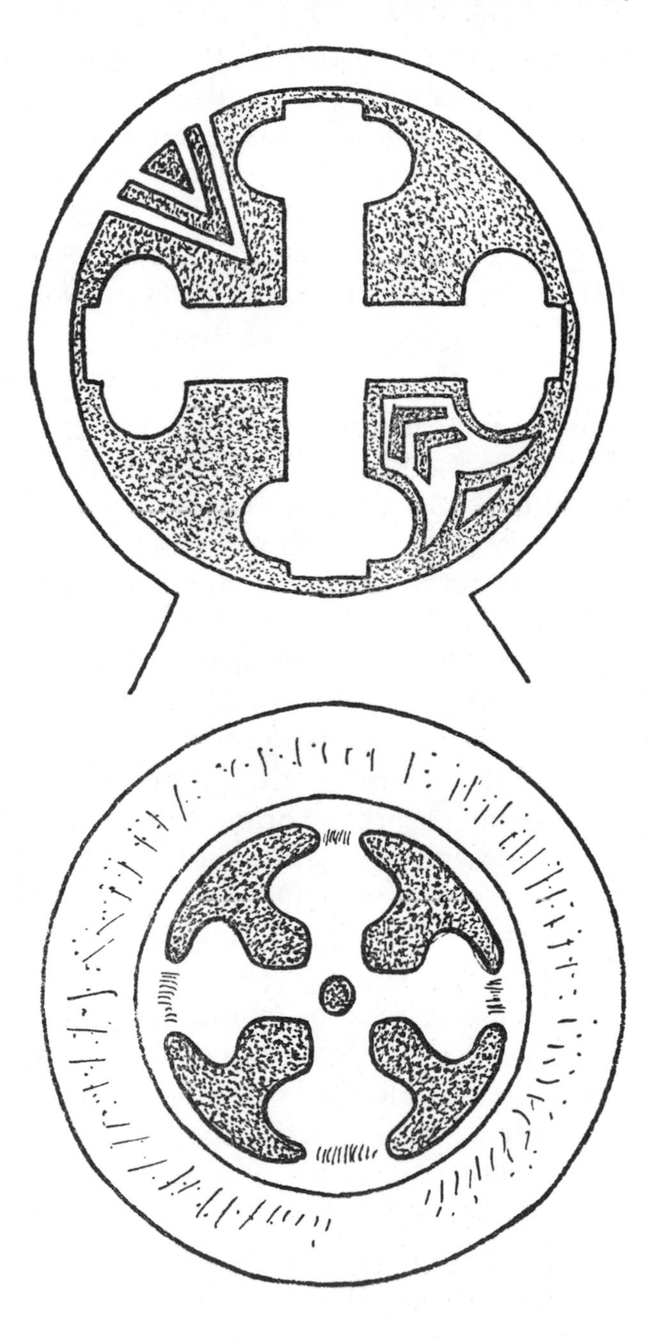

ROUELLE EN BRONZE (800 Av JC)

d'aspect. La tombe était creusée en pleine terre, un simple renflement du sol indiquant la place du mort. A sa tête, s'élevait le « hil harri », une pierre plus ou moins décorée, formée d'un pied trapu que surmontait un large cercle. Ces stèles discoïdales sont remarquables à plus d'un titre. Des études récentes ont démontré qu'elles firent leur apparition assez tardivement, en tout cas pas avant le XIVème siècle. Elles se généralisèrent sur les deux versants des Pyrénées, durant le XVIème et le XVIIème, et finirent par disparaître aux alentours de 1793.

Les formes les plus anciennes, représentées par de rares vestiges encore en place il y a une cinquantaine d'années, correspondaient à de petits menhirs, sommairement aménagés afin d'évoquer une silhouette humaine. Par la suite, le volume globuleux suggérant la tête devint un cercle soigneusement découpé, offrant deux surfaces planes destinées à recevoir une ornementation. Le décor, rudimentaire au départ, s'affirma vers 1500 environ. Il faisait appel à toute une série de symboles que l'on retrouve notamment sur des objets datant de l'âge du bronze et du début de l'âge du fer: motifs rayonnants, croix à branches égales, spirales, entrelacs, rouelles etc. A cela s'ajoutaient des swastikas (croix gammées), des étoiles à cinq et six branches, des rosaces, des damiers, des sortes de labyrinthes, des arbres, des fleurs, des oiseaux, des serpents et quelques éléments purement chrétiens comme le monogramme IHS ou le nom de la Vierge. Souvent venaient s'inscrire, sur le pied de la stèle, des représentations d'outils et d'armes, principalement d'arbalètes. Le soleil, la lune et les étoiles occupaient enfin une place de choix dans cette abondante iconographie.

L'importance du symbolisme astral sur les tombes basques, atteste incontestablement un solide attachement aux traditions héritées de l'époque païenne, ceci malgré les persécutions sanglantes qui se déchaînèrent en 1609. De même, la fréquence du swastika, du pentagramme (l'étoile à cinq branches), de l'hexagramme (l'étoile à six branches, appelée aussi « Sceau de Salomon ») suggèrent la permanence d'une mentalité fort peu catholique. Ces emblèmes, qui surgissent dans un grand nombre de cultures et d'époques, ne sont en effet jamais neutres. Comme le souligne Gershom Scholem, il s'agit de figures possédant une charge magique exceptionnelle.

Un dernier mot, avant de quitter les basques. Chez eux, les bergers fabriquent encore un curieux instrument: le « furrunfara ». C'est « une planchette de bois aux bords dentelés, portant la croix à virgules hélicoïdales, symbole du mouvement céleste, écrit l'ethnologue Jean Servier. Le berger fait tournoyer la planchette au bout d'une ficelle, parfois elle-même attachée à un bâton. Le vrombissement produit écarte les animaux étrangers au troupeau, principalement les juments, susceptibles d'effrayer la nuit les moutons dans leur parc ».

Pour tous les préhistoriens du monde, le « furrunfara » s'appelle un rhombe. Cet objet ronflant existait déjà il y a 25.000 ans, comme en témoigne un exemplaire mis au jour dans la grotte de La Roche, en Dordogne. « Lorsque cette pièce fut découverte, on y voyait encore les restes d'une épaisse couche d'ocre dont elle avait été enduite. Ce détail indique, d'après J. Maringer, le caractère cultuel de cet instrument que les chasseurs Magdaléniens utilisaient sans doute pour faire retentir la voix de leurs ancêtres, lorsqu'ils célébraient certaines cérémonies religieuses » *(J. Servier: « L'Homme et l'Invisible »).*

Mais le plus remarquable, c'est l'universalité du rhombe. Il existait en Australie, en Afrique (notamment chez les Dogons et les Bambaras), en Nouvelle-Guinée et dans les îles Salomon. Les Eskimos, les indiens Apaches, Navaho, Koskimo, Kwakiutl, Pueblos et Hopi le connaissaient. On retrouve sa trace au Brésil, au Portugal, en Ecosse, en Sicile. Il était en usage en Grèce dans les mystères de Bacchus. Partout, il servait, à l'origine, à évoquer « la voix du père de tous les pères, le tonnerre viril de l'Ancêtre ». Comment expliquer une aussi large diffusion, sinon par un legs pieusement transmis à partir d'un fond commun perdu dans la nuit des temps?

IV

Nombreuses sont les montagnes sacrées. Toutes marquent un lieu d'élection où les cieux communiquent avec la terre. L'Inde a le Méru; le Japon, le Fuji-Yama; la Chine, le K'ouen Louen; la Grèce, l'Olympe; la Perse, l'Alborj; le Tibet, le Potala etc. Dans la tradition biblique, une série de monts symbolisent la manifestation divine: Sinaï, Thabor, Garizim, Carmel, Golgotha. « Les Psaumes constituant le Graduel scandent l'ascension vers ces hauteurs et, à l'origine du Christianisme, les sommets ont représenté les centres d'initiation formés par les ascètes du désert. En Afrique, en Amérique, dans tous les continents et dans chaque pays, des hauteurs sont signalées comme le séjour des dieux; les brumes, les nuages, les éclairs indiquent les variations des sentiments divins, en liaison avec la conduite des hommes. » *(Dictionnaire des symboles).*

Culminant à 2.872 mètres d'altitude, le Bégo se dresse au nord-est du département des Alpes-Maritimes, près de la frontière franco-italienne. A ses pieds, s'étend la « Vallée des Merveilles », un immense sanctuaire ouvert sur les étoiles, où — durant l'âge du bronze — des populations alpines ont gravé inlassablement dans la pierre d'innombrables motifs, en majeure partie consacrés au dieu taureau. Les hommes du premier métal nous ont livré là un message énigmatique comprenant, outre les représentations animales, des scènes de labour,

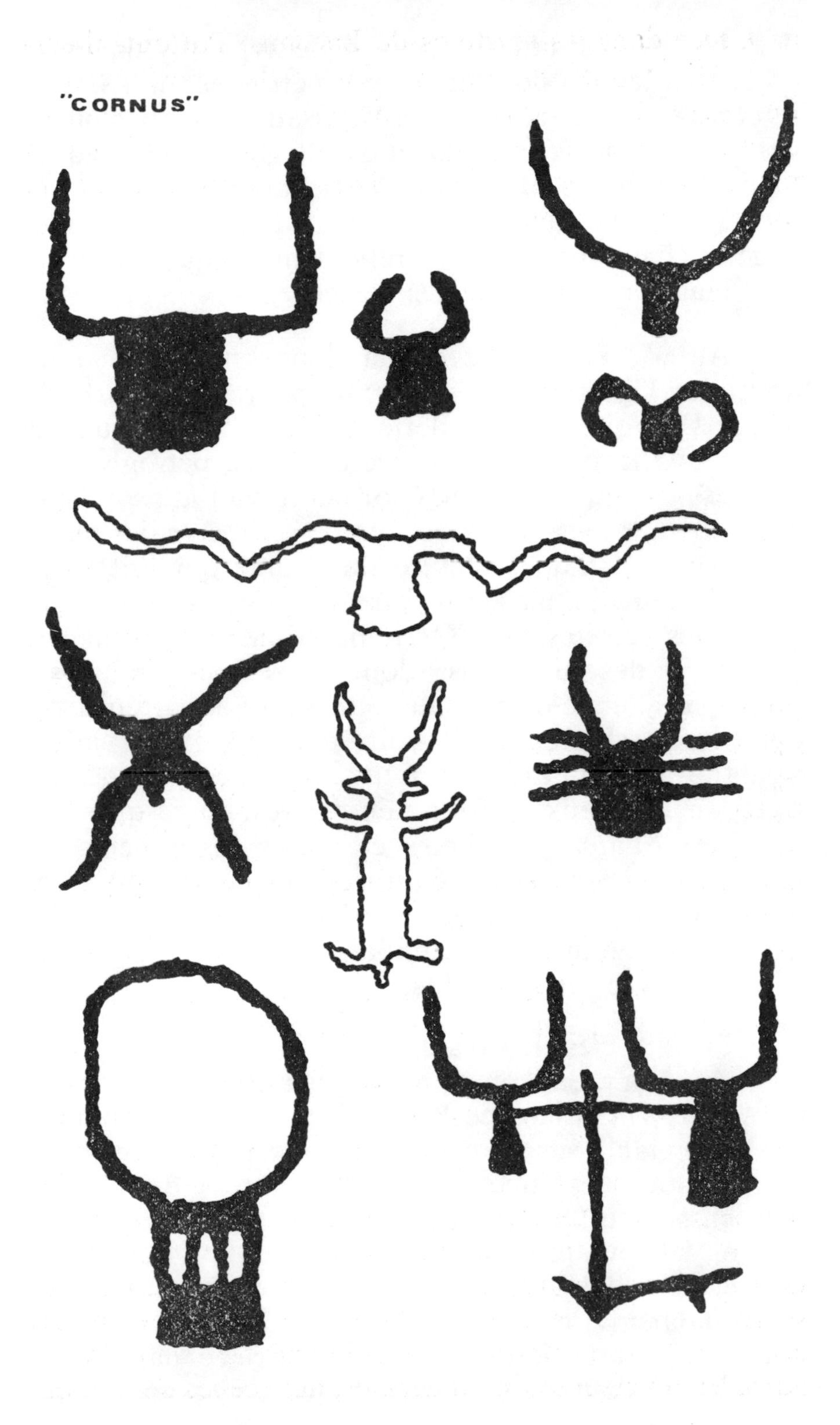
"CORNUS"

des dessins d'armes (poignards de type mycénien et « hallebardes »), des tracés géométriques difficiles à interpréter, et aussi quelques stylisations de personnages parfois inquiétants. Le mont Bégo, autour duquel se déchaînent souvent de violents orages, fut assurément, pour eux, le centre d'un haut lieu religieux, sauvage et chaotique, où ils se rendaient chaque année en pélerinage après la fonte des neiges.

Au Moyen-Age, le site a donné naissance à de multiples légendes qui évoquent, pour la plupart, de sombres histoires de sorcellerie. Les bergers expliquaient comme ils le pouvaient la présence des pétroglyphes, en faisant allusion à un énorme travail d'exorcisme entrepris par leurs aïeux en vue de se libérer des maléfices émanant d'une créature du Diable qui prit longtemps un malin plaisir à faire mourir les bêtes et à ruiner les récoltes. Au XVIIème siècle, méprisant ces racontars, des historiens (dont l'erreur fut toutefois de ne pas aller se documenter sur place) écrivirent froidement que l'on pouvait voir, dans la haute vallée, quantité « de chevaux, de tours, de chariots armés de faux, de vaisseaux en forme de galères, de casques, de boucliers, d'arcs, de piques et autres instruments de guerre, avec beaucoup d'écritures qui ne sont ni grecques, ni latines, ni arabes et qu'on conjecture être des caractères puniques. » Hannibal, sans doute, était passé par là avec ses éléphants...

En fait, c'est le savant Emile Rivière qui se livra, en 1877, à la première approche scientifique de la question. Puis vint Clarence Bicknell. Anglais et botaniste il s'était établi sur la Riviéra pour réparer une santé chancelante. Les rupestres du Bégo ne tardèrent pas à le passionner. Il finit par leur consacrer le reste de sa vie, découvrant et répertoriant plus de 14.000 figures, entre 1885 et 1918. Piero Barocelli, puis Carlo Ponti poursuivirent son oeuvre. Depuis quelques années, enfin, une équipe française, dirigée par Henry de Lumley, s'est fixé pour but, en recourant aux techniques les plus modernes de l'archéologie, d'éclairer le mystère de la Vallée des Merveilles.

DE L'AGE DU BRONZE A L'EPOQUE ROMAINE

Les gravures, dans leur quasi totalité, ont été réalisées sur des rochers de schiste selon la technique discontinue du piquetage. Des cupules étaient ainsi obtenues « par les coups répétés d'un outil à pointe mousse, vraisemblablement métallique. Certaines ont été faites en frappant directement le roc avec un percuteur tenu à la main, ainsi que le montrent les irrégularités des contours; mais pour beaucoup d'entre elles, on a employé un ciseau et un marteau, ce qui a donné des tracés plus distincts. » *(Maurice Louis et Giuseppe Isetti).*

Cependant, une technique linéaire, aux traits continus plus ou moins profonds selon les cas, caractérise un groupe nettement à part, se définissant notamment par ses propres conventions graphiques: silhouettes humaines évoquant le « phi » de l'alphabet grec, schématisations végétales, animaux vus de profil, arbalètes, symboles solaires ou en forme de marelles etc.

Une question se posait alors. Ces deux séries étaient-elles contemporaines ou décalées dans le temps?

Pour tenter d'apporter une réponse, il fallait observer minutieusement les figures offrant une superposition des deux modes de gravure.

Henry de Lumley et ses collaborateurs se sont attelés à cette tâche. Cela leur a permis de démontrer que, contrairement à toutes les hypothèses formulées auparavant, les inscriptions linéaires étaient infiniment plus récentes que les motifs obtenus par piquetage. Cette découverte est importante, dans la mesure où elle apporte la preuve que les alentours du mont Bégo — difficiles d'accès, il convient de le préciser — furent un pôle d'attraction religieux pendant une période extrêmement longue, commençant vers 3.500 avant J.C., pour se prolonger jusqu'au règne de l'empereur Auguste.

Comme le notent H. de Lumley, Marie-Elisabeth Fonvielle et Jean Abelanet: « Ainsi donc les rochers du mont Bégo auraient connu deux périodes essentielles de ferveur: la première envers la montagne, consacrée au dieu-taureau, maître de l'orage, culte qui a eu son apogée à l'âge du bronze ancien; puis le vieux culte méditerranéen du taureau s'est estompé dans l'esprit des populations locales, mais la fréquentation de ces lieux sacrés ne s'est pas pour cela interrompue. Sous l'influence de conceptions nouvelles, c'est la nature elle-même et ses forces vives qui deviennent l'objet du culte: la nature est adorée dans ses manifestations visibles: montagne, rochers, lacs, sources, animaux, soleil etc. Influences celtiques puis gréco-romaines se greffent sur un vieux fond ibéro-ligure, pour aboutir à une religion naturaliste, dont nous ne connaissons malheureusement que bien peu de choses (sinon quelques survivances dans la sorcellerie médiévale et le folklore) et dont les gravures linéaires du Bégo et d'ailleurs sont un témoignage précieux mais combien obscur. »

VUE AERIENNE

Revenons aux bovidés qui constituent, de loin, l'essentiel du stock iconographique des Merveilles. Une première remarque s'impose: le corps des animaux est presque systématiquement réduit à sa plus simple expression, les cornes faisant, au contraire, l'objet d'une véritable survalorisation, par leur taille exagérée ou leurs formes bizarres. Certains attelages tirant un araire, que guide un personnage maladroitement esquissé, n'offrent aucune difficulté de lecture. Il existe, en revanche, des « fourches », des « lyres », des « croix de Lorraine », plus ou moins dérivées du bucrane, qui ont largement franchi le seuil de l'abstraction.

L'homme ici ne figure pas, de toute évidence, au centre de la mythologie sous-jacente et, quand il apparaît, il porte en général le signe de la bête divinisée.

C'est le cas, notamment, du « Chef de tribu »; revêtu d'une tunique étroite, il lève les bras vers le ciel dans l'attitude de l'orant et arbore, sur la poitrine, l'emblème triomphant du taureau.

Seconde remarque: les animaux sacrés ne sont jamais représentés de profil ou de face. Une convention rigoureuse les montre en projection horizontale, comme s'ils étaient placés sous le regard d'un observateur aérien. Cette particularité remarquable traduit peut-être la volonté des graveurs de signifier — à travers la stylisation du taureau considéré comme le médiateur entre le ciel et la terre — l'ampleur du champ de vision de la divinité suprême demeurant, par définition, dans les hautes sphères. Quoi qu'il en soit, ce parti-pris d'une perspective plongeante se retrouve ailleurs. Aux Etats-Unis, on connaît des tertres préhistoriques, affectant des formes d'hommes, d'oiseaux, d'ours, de tortues, de grenouilles ou de serpents, dont on ne peut saisir une vue d'ensemble qu'en prenant place à bord d'un avion ou d'un hélicoptère. Ces effigies sont l'oeuvre de modestes cultivateurs de maïs qui, au lieu d'élever des menhirs ou des dolmens, avaient choisi de sculpter l'épiderme de la terre.

Au Pérou, les fameuses « pistes » de Nazca relèvent de la même conception. Le formidable triangle presque équilatéral qu'elles forment n'est visible qu'à vol d'oiseau. Divers auteurs ont interprété ce tracé comme un balisage destiné à de mystérieux pilotes venant d'une autre planète. Il s'agit, plus simplement, d'un dessin évoquant un profil de pyramide. Un dessin que les hommes avaient voulu à la dimension des dieux.

UN PREMIER PAS VERS L'ECRITURE

Contemporains des taureaux, divers décors géométriques sont fréquents dans la Vallée des Merveilles. Certains représentent des spirales, des motifs en échelle, des cercles concentriques ou accolés. Mais ce sont surtout les « réticulés » qui ont retenu l'attention des archéologues. Ce terme désigne toutes sortes de cercles et de quadrilatères piquetés, généralement divisés en cases irrégulières. Constatant que, parmi la foule des figures remontant à l'âge du bronze, aucune ne fait clairement allusion à une cabane ou à une construction quelconque, un chercheur, l'abbé Hirigoyen, s'est efforcé de démontrer que les « réticulés » désignaient des habitations.

D'autres préfèrent y voir la matérialisation d'un territoire précis, une sorte de plan cadastral. Certains, enfin, ont suggéré que ces motifs géométriques pourraient être des idéogrammes ou même les lettres d'un éventuel alphabet.

L'abbé Hirigoyen a énergiquement réfuté cette hypothèse. « L'assimilation de certains tracés à des éléments d'écriture ne saurait être retenue sérieusement, affirme-t-il. En général, parler de signes, de symboles, de graphismes conventionnels permettant de quelque manière que ce soit la communication des idées, revient à désigner quelque chose d'exactement défini, obéissant à des règles établies, à des formes fixes: l'inter-échange n'est qu'à ce prix. Mais parler de « signes » d'écriture, c'est surtout sous-entendre des textes; et c'est ici que nous devons être affirmatifs.

« Au Bégo, où les gravures sont souvent isolées, les groupes plus ou moins importants de rupestres ne permettent pas de distinguer de vrais assemblages constants. On remarque, par contre, dans les prétendues « combinaisons » de signes, ou bien l'intervention de « mains » différentes (ce qui repousse toute idée d'une cohérence textuelle) ou bien un pêle-mêle qui rend arbitraire tout effort d'ordination, de sens à donner à la lecture. La règle est la dispersion, la « jonchée » en somme, il n'y a rien qui fasse sentir l'unité d'un texte, le pas à pas méthodique d'une pensée. Or, sans texte, comment parler d'écriture? »

Auteur d'un livre passionnant publié au début de

"RÉTICULÉS"

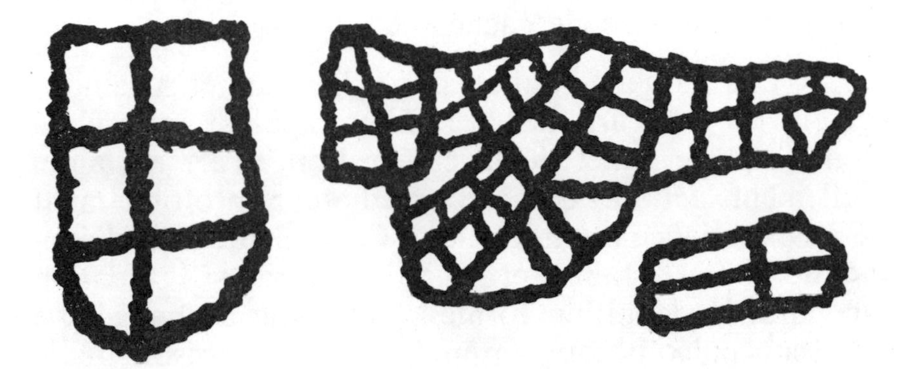

FIGURES LINEAIRES

l'année 1978, Jean-Pierre Spilmont a repris le problème à zéro et sous un angle tout à fait différent. [1] Négligeant la querelle engagée autour des motifs géométriques, il s'intéresse surtout aux figures animales dont la stylisation demeure frappante, et n'est pas sans évoquer la présence d'un code caché.

« Des milliers d'années après Lascaux et Altamira, écrit-il, les graveurs des Merveilles répètent inlassablement le geste rituel de la célébration. L'art est alors réellement action. Un acte médiateur profondément lié à l'expérience quotidienne. » Cependant, entre l'époque de la pierre taillée et l'âge du bronze, si l'intention demeure, la définition formelle du signe a changé. Le chasseur paléolithique « représentait » le bison ou le bouquetin. Le pasteur-agriculteur du Bégo tente de « signifier » le boeuf, le taureau, la charrue, les personnages, avec un style que le regard moderne perçoit comme une régression.

« Or, ce n'est ni l'habileté, ni la beauté du tracé qui sont ici en cause ». La figuration naturaliste s'est effacée devant un graphisme plus abstrait et en apparence plus pauvre, non point en raison d'une insuffisance quelconque de l'exécutant, mais parce que, d'une époque à l'autre, la façon de percevoir et de dire la réalité du monde a subi une complète métamorphose. Bref, dans cette perspective, le vocabulaire iconographique des Merveilles « ne se réduit à l'essentiel que pour exprimer l'essentiel. »

Ainsi amenée, la conclusion ne peut guère surprendre: «Ceci n'est pas encore l'écriture, et pourtant elle est en train de naître. Au Bégo, c'est de ce miracle dont nous sommes les témoins. »

Dans la vallée haute, « l'homme parle ou plutôt a parlé et sa voix inscrite dans les schistes, n'en finit pas de nous interpeller, parce que, confusément, nous savons qu'elle ressemble à la nôtre, qu'elle pose à tra-

---

(1) Jean-Pierre Spilmont: « La Vallée des Merveilles ».

vers quatre millénaires de silence, une question dont nous ne connaissons pas encore la réponse. »

UNE SCIENCE DU PRESENT

Une question qui se pose, en fait, depuis plus de trois millions d'années. Depuis que s'est engagé, à partir du premier outil, le fantastique processus au cours duquel a fini par émerger l'humanité moderne. La plus belle, la plus intelligente, la plus catastrophique aussi, si l'on en juge d'après son pouvoir de destruction.

Croire à l'Histoire, celle qui est née à Sumer et en Egypte, avec les cunéiformes, les hiéroglyphes et la comptabilité nous rassure. Il n'empêche que notre héritage le plus profond nous vient, sans que nous en soyons clairement conscients, de l'interminable aventure des âges de la pierre aboutissant un jour au premier métal. Qu'on le veuille ou non, nos croyances, nos mythes, nos peurs, nos pulsions et nos instincts ne s'ancrent pas dans la banlieue du temps; ils sont enracinés dans une dimension infiniment plus vaste. La patrie commune à toutes les races et à tous les peuples se situe dans cette immensité. Ce ne fut pas un paradis. Ce ne fut pas non plus un enfer. Et ce monde englouti, nous apprenons patiemment à le retrouver.

Longtemps, la préhistoire a fait figure de discipline marginale. Préoccupée par définition d'un passé fossile, elle ne semblait guère engager le présent. Depuis quelques années, elle a beaucoup progressé, grâce en particulier à une méthodologie rigoureuse et à des techniques annexes lui permettant de pousser sans cesse plus loin ses investigations. Malgré cela, elle reste, aux yeux des profanes, une sorte de luxe intellectuel. Il est grand temps de balayer ce préjugé. Ses démarches et ses recherches concernent chacun d'entre nous.

L'Australopithèque et le Pithécanthrope, comme leurs successeurs, ont déterminé la genèse de notre propre destin. Percer les secrets de leurs silex taillés, c'est découvrir les structures de base des comportements humains. Tout s'enchaîne, en effet, à tous les niveaux de l'évolution. Notre science est fille de la chasse, nos facultés d'expression les plus élaborées se sont lentement affirmées à travers différents contextes socio-économiques toujours soumis à l'action de la sélection naturelle. A suivre ainsi, à la trace, les étapes de l'hominisation, nous perdons peut-être quelques illusions, mais nous comprenons mieux les liens qui nous unissent à nos prédécesseurs comme à l'ensemble de notre environnement.

Conscients du fait qu'une civilisation ne peut se couper du milieu naturel, des préhistoriens ont choisi de s'engager résolument dans la voie de la prospective. En Grande-Bretagne, par exemple, les professeurs Eric Higgs et Earl Saxon, spécialisés dans l'étude de la domestication des animaux durant la période néolithique, soutiennent fermement que la connaissance des systèmes anciens doit déboucher sur une meilleure appréciation des problèmes actuels. Se fondant sur l'analyse des chaînes alimentaires, ces chercheurs démontrent que la société industrielle avancée, afin de promouvoir une politique agricole globale, bouleverse les schémas traditionnels, au mépris des équilibres écologiques que respectèrent toutes les cultures préhistoriques. Selon eux, pour tenter de réparer les erreurs commises par des politiciens et des économistes aux vues trop courtes, il importe d'organiser une action systématique de domestication d'espèces locales, dans les zones du globe considérées comme peu rentables et, de ce fait, pratiquement abandonnées.

« La faim dans le monde, dit Earl Saxon, n'est pas un vain mot. Afin d'y remédier, il faut cesser d'agir en barbares. »

La préhistoire aussi commence à découvrir les chemins d'une salutaire contestation. Pour le moment, la tendance demeure modeste. Elle est cependant irréversible.

LES CHEMINS DE L'INVISIBLE

I

Tous les peuples se font une certaine idée du commencement du monde. Tous ont essayé d'expliquer, à travers leurs mythes, l'énigme de l'origine de l'homme. Pour les indiens Hopi il y avait, au début, un univers plat situé au dessous de la terre et presque totalement recouvert d'eau. « Loin à l'Est, rapporte Leo W. Simmons, une déesse appelée Hurung Wuhti vivait dans une kiva (une cavité profonde), avec une grande échelle d'où pendaient deux peaux de renard, l'une grise et l'autre jaune. A l'Ouest, il y avait une déesse semblable, mais c'était un hochet d'écaille de tortue qui était attaché à l'échelle de sa kiva. Chaque jour, le dieu Soleil mettait d'abord la peau du renard gris pour la première aube, puis la peau de renard jaune pour l'aurore dorée. Il se levait par une ouverture au nord de la kiva, passait au dessous des eaux pour aller rejoindre la kiva de l'Ouest, touchait l'écaille de la tortue, entrait dans la kiva et repartait par une ouverture au nord, passait par dessous et se levait à nouveau dans la kiva de l'Est.»

Un jour, les divinités de l'Est et de l'Ouest firent émerger une terre ferme hors des eaux de dessous du monde. Comme ce continent ne connaissait aucune forme de vie, « la déesse de l'Ouest créa un grand nombre d'oiseaux et de bêtes, et les envoya habiter la terre. La déesse de l'Est, en visite à l'Ouest, fit d'abord une femme d'argile, puis un homme, et les couvrit d'un tissu. Les divinités chantèrent ensemble pour leur instiller la vie, leur enseignèrent un langage et leur dirent d'occuper la terre. La déesse de l'Est les mena par dessus l'arc-en-ciel, dans sa demeure, où ils séjournèrent quatre jours avant de partir fonder leur propre foyer. »

Le monde souterrain ainsi créé, connut d'abord une existence heureuse. « Il pleuvait tout le temps, les plantes poussaient, et il y avait des fleurs partout. Et puis les choses changèrent soudain; il y eut des luttes, de mauvais hommes séduisirent des femmes honnêtes. Ensuite, les pluies cessèrent, il s'éleva des vents malfaisants et les récoltes furent mauvaises. Il y avait partout des Deux-Coeurs (des sorciers et des sorcières), et il restait peu d'hommes au coeur unique et bon. »

Cette situation ne pouvait pas durer. Aussi les chefs les plus sages estimèrent-ils nécessaire de savoir ce qui se passait à la surface du monde. Ils envoyèrent, vers le haut, des oiseaux explorateurs. L'un d'eux découvrit, dans la sphère supérieure, ce qui devait devenir le véritable territoire des Hopi; un pays où vivait Masau'u, dieu du Feu et de la Mort. Celui-ci accepta de recevoir les émigrants d'en dessous, s'ils voulaient bien vivre en paix et pauvrement. Nombre de femmes et d'hommes se résolurent à gagner cette terre nouvelle. Malheureusement, quelques Deux-Coeurs parvinrent à se glisser parmi eux, malgré toutes les précautions prises en vue de les écarter. Quand tout le monde fut rassemblé dans le monde supérieur, un chef boucha le passage, afin de couper la communication et de rompre définitivement avec le passé.

Les Deux-Coeurs, hélas, continuèrent leurs entreprises malfaisantes et, pour se défendre, les Hopi durent apprendre quantité de rites permettant de préserver l'équilibre de leur société. Depuis les temps immémoriaux du grand exode, ils luttent constamment contre les sorciers et les sorcières, tantôt marquant des points, tantôt perdant du terrain. Leur vie est un perpétuel combat contre la magie noire, et les Blancs ne sont pas venus arranger les choses.

Une prophétie a cependant annoncé « qu'un jour, quand les Deux-Coeurs seront devenus trop puissants, un grand frère Blanc reviendra dans les villages hopi, coupera la tête à tous les Deux-Coeurs et les détruira complètement. C'est seulement alors que les Hopi et les Blancs seront unis comme un seul peuple, et qu'ils vivront en paix et en prospérité, telles qu'il en exista autrefois dans le monde inférieur. » *(Don C. Talayesva: « Soleil Hopi »).*

Bref, l'Age d'or n'est pas définitivement perdu.

LE BIG-BANG ORIGINEL

La science moderne a voulu en savoir davantage que les indiens d'Amérique. Elle s'est interrogée sur les premiers moments de l'univers. Vaste programme en vérité. Affirmant que la matière se crée à partir de rien, certains savants ont suggéré la possibilité d'un cosmos éternellement renouvelé. La thèse en faveur de laquelle penchent aujourd'hui les astrophysiciens est radicalement différente. Il s'agit de la théorie du big-bang dont les principaux promoteurs furent un Jésuite, le père Lemaître et le physicien Georges Gamov. D'après eux, le monde est né il y a dix milliards d'années sous la forme d'un oeuf minuscule et formidablement dense, au sein duquel toutes les particules élémentaires de la matière (électrons, neutrons et protons) existant encore de nos jours, se trouvaient comprimées les unes contre les autres, dans un état d'échauffement fabuleux atteignant plusieurs millions de degrés. Cet oeuf, très rapidement, se mit à se dilater. La température et la pression baissèrent alors à l'intérieur, et les particules purent fusionner pour former les premiers noyaux et les premiers atomes. « Le temps aidant, la matière de l'univers se refroidit encore et se condensa pour constituer des galaxies et, dans ces galaxies, des étoiles. Au bout d'une expansion de quelques milliards d'années, l'univers atteignit l'état dans lequel il se trouve actuellement. » *(R. Jastrow: « Des Astres, de la Vie et des Hommes »).*

Cette histoire de feu d'artifice cosmique aurait pu stagner longtemps dans le marais des hypothèses invérifiables, si deux savants américains, Arno Penzias et Robert Wilson, n'avaient pas braqué vers l'espace une antenne radio ultra sensible. Alors qu'ils travaillaient sur un programme de communication par satellite, ils captèrent par hasard un étrange « bruit de fond » émanant de tous les horizons du ciel. Intrigués, ils cherchèrent à comprendre, et finirent par se rendre compte qu'ils avaient tout simplement perçu le rayonnement résiduel de l'oeuf primordial. Pas moins. Une découverte qui leur a valu le prix Nobel.

Une question, toutefois, demeure sans réponse: d'où venait la première goutte incandescente contenant la totalité des particules fondamentales de la matière?

LA VIE: UNE GENERATION SPONTANEE

Et la vie?

Comment explique-t-on, aujourd'hui, son apparition sur la terre?

Les suppositions, il faut bien l'avouer, sont ici plus nombreuses que les certitudes. Selon les théories généralement admises, notre globe offrait, il y a quatre milliards d'années environ, un aspect très différent de celui que nous connaissons. Son rayon ne devait pas dépasser 4.500 kilomètres, alors qu'il atteint maintenant 6.366 km. Il n'existait vraisemblablement qu'un seul continent — la pangée — émergeant au milieu d'un immense océan. Dépourvue d'oxygène, l'atmosphère était surtout composée de méthane, d'ammoniac, d'hydrogène sulfuré, d'azote et d'oxyde de carbone. Un mélange impropre à la vie et semblable au milieu gazeux entourant aujourd'hui Saturne et Jupiter.

Les conditions d'une synthèse possible de la matière organique paraissent, pourtant, avoir été réalisées à ce stade de l'évolution de la planète. Ceci grâce à deux facteurs favorables: la présence d'une énorme réserve d'eau et l'existence de gaz apportant les éléments de base indispensables. Par ailleurs, l'absence d'oxygène dans l'atmosphère permettait la pénétration totale des rayons ultra-violets, y compris ceux de très courte longueur d'onde qui paraissent tout désignés pour avoir joué le rôle de catalyseurs.

Une confirmation de la possibilité de cette synthèse a été fournie, en 1953, par la célèbre expérience de Miller. A partir d'un mélange de méthane, d'ammoniac et d'hydrogène contenu dans un ballon de verre et soumis à l'excitation d'étincelles électriques, ce chercheur américain a obtenu, au bout de huit jours, des acides aminés, qui sont les éléments constitutifs de base de la matière organique. La probabilité est donc fort élevée pour que les premières chaînes d'amino-acides, et par conséquent les premières protéines, aient pu se différencier au sein de la mer suivant un processus analogue.

Mais il manquait tout de même quelque chose d'essentiel à ces protéines initiales: le pouvoir de reproduction caractéristique de la vie. D'après la théorie du biologiste russe Oparin, une fois atteint le stade préalable de la synthèse de la matière organique, le passage décisif de l'inorganisé au vivant aurait été possible, sous réserve de s'effectuer à l'abri des rayons ultraviolets de très courte longueur d'onde qui sont mortels. Cette protection ne pouvait être effective que sous une tranche d'eau suffisante. Au moins dix mètres.

Quant au support même du vivant, il aurait été constitué par des amas de matière organique (nommés « Coacervats » par Oparin) qui, au terme d'un cheminement dont on ignore tout, seraient parvenus à se reproduire. A l'origine de la vie, il y aurait donc nécessairement un phénomène de génération spontanée qui n'a peut-être pas été unique, mais qui a pu, au contraire, se répéter durant un laps de temps assez long.

DES BACTERIES AUX LICHENS

Par rapport aux formes primordiales envisagées par Oparin, l'apparition des premières cellules représente un saut qualitatif considérable. Dans l'état actuel des connaissances, il est impossible de préciser les modalités de ce passage. On sait seulement que des organismes unicellulaires déjà complexes existaient il y a fort longtemps. En 1966, Barghoorn et Schopf, par exemple, ont fait connaître une bactérie provenant d'Afrique du Sud et vieille de plus de trois milliards d'années. De même des vestiges d'« algues bleues » ont été découverts en Rhodésie, dans des formations géologiques datées de 2 milliards 680 millions d'années. Bactéries et « algues bleues » constituent un règne à part, celui des Schizophytes, qui a sans doute représenté, à lui seul, le monde vivant plusieurs centaines de millions d'années durant.

Tout au long de cette immense période, la seule zone colonisée s'est limitée à une étendue sous-marine assez réduite, mais les bactéries et les « algues bleues », par leur action de photosynthèse, enrichirent graduellement l'atmosphère en oxygène, permettant ainsi à la vie de conquérir la terre ferme. Bien qu'elle ne fût pas dépourvue d'eau, celle-ci offrait un paysage plutôt désolé: du roc nu, de la poussière, pas une once d'humus. Aux journées torrides succédaient des nuits glaciales. Pour s'accommoder d'un univers aussi rude, il fallait des végétaux d'une extrême résistance. Il y a environ un milliard 700 millions d'années, les lichens — qui se définissent comme une symbiose d'algues et de champignons — tentèrent leur chance. Ils réussirent très bien.

Les débuts de la vie animale sont encore beaucoup plus difficiles à appréhender de façon précise. Les plus anciennes faunes marines semblent s'être diversifiées voici au moins un milliard d'années, probablement davantage, mais pour l'instant les données utilisables avec certitude demeurent excessivement minces.

En revanche, dans des couches sédimentaires âgées de 700 millions d'années et situées en des points du globe aujourd'hui très éloignés les uns des autres, apparaît subitement un monde foisonnant où se manifestent déjà les ancêtres des mollusques et des vers actuels. Bien que leur ancienneté soit respectable, ces invertébrés nettement différenciés n'ont plus rien à voir, cependant, avec le problème des origines de la vie. Ils annoncent des temps presque modernes.

LE CALENDRIER DE LA TERRE

Géologues et paléontologistes étudient des phénomènes qui se sont produits à des époques extraordinairement reculées. Ils raisonnent en milliards et en millions d'années. Afin de replacer l'histoire de la vie dans une dimension plus familière, il est particulièrement suggestif de réduire le temps terrestre à l'échelle d'une année humaine. Si l'on ramène la naissance de la terre (qui se situe il y a au moins 4 milliards 500 millions d'années) au 1er janvier, on obtient le tableau suivant:

23 mars
Formation supposée des continents.
3 milliards 500 millions d'années.

16 avril
Premières bactéries.
3 milliards 200 millions d'années.

7 août
Formation de l'atmosphère oxygénée et conquête des continents par les lichens.
1 milliard 800 millions d'années.

5 novembre
Différenciation des invertébrés les plus complexes.
700 millions d'années.

24 octobre
Les premiers vertébrés.
450 millions d'années.

4 décembre
Conquête des continents par les premiers animaux dotés de poumons et de 4 membres porteurs (les Amphibiens).
340 millions d'années.

9 décembre
Les premiers reptiles.
280 millions d'années.

17 décembre
Les premiers mammifères.
180 millions d'années.

20 décembre
Apogée des grands reptiles du Secondaire (Dinosaures).
140 millions d'années.

25 décembre
Disparition des Dinosaures.
80 millions d'années.

31 décembre à 17 heures
Les premiers hommes fossiles.
3 millions d'années.

LA DYNAMIQUE DU VIVANT

La Bible affirme: « Dieu dit: que la terre produise des animaux vivants selon leur espèce, du bétail, des reptiles et des animaux terrestres, selon leur espèce. Dieu fit les animaux de la terre selon leur espèce, le bétail selon son espèce, et tous les reptiles de la terre selon leur espèce. Dieu vit que cela était bon. Puis Dieu dit: Faisons l'homme à notre image, à notre ressemblance » (Genèse 1. 24-26).

Si l'on prend le texte sacré à la lettre, il faut admettre que la nature ne peut offrir, par définition, que le reflet de la création originelle. Tout a toujours été comme maintenant. Cette conception a prévalu jusqu'au jour où l'on a commencé à découvrir de nombreuses espèces fossiles qui ne ressemblaient à rien de connu sur le globe, tel qu'il est là sous nos yeux. Devant l'évidence des faits, les intégristes de la Bible recoururent à une astuce dialectique. Ils affirmèrent qu'il n'y avait pas eu une seule création, mais plusieurs, chacune en son temps ayant été détruite par un gigantesque cataclysme préhistorique. Ainsi la vie, sur la planète, aurait connu plusieurs phases, toutes rigoureusement indépendantes les unes des autres.

Un seul défaut dans cette argumentation: sous prétexte de les défendre, elle forçait allégrement les Ecritures Saintes qui ne soufflent mot sur ces créations en série.

A partir du XIXème siècle, la théorie évolutionniste commença à gagner du terrain. Elle est aujourd'hui prédominante et, contrairement à ce que l'on croit trop souvent, elle ne prétend pas que l'homme descend du singe mais que tous les deux, très loin en amont, possèdent un ancêtre commun. Elle affirme, à partir des données de la paléontologie, que les espèces vivent, se transforment, donnent naissance à d'autres espèces et meurent quand leur heure est venue. Dans cette optique, la vie se définit comme une dynamique permanente, à l'échelle énorme des temps géologiques. C'est en se multipliant sans compter, dans toutes les directions possibles, que le monde vivant, caractérisé par une plasticité et une profusion apparemment sans limite, parvient selon la formule de Teilhard de Chardin, à se « cuirasser contre les mauvais coups ».

L'évolutionnisme, dans sa forme actuelle, ne se trouve pas en contradiction avec la thèse de la création. Il démontre simplement que tout ne s'est pas joué en une semaine. Estimant que le temps de Dieu ne se mesure pas au chronomètre des hommes, nombre de spiritualistes se sont ralliés à cette conception qui en fin de compte n'est pas si éloignée de celle des alchimistes.

D'autre part, même les partisans inconditionnels de l'évolution, reconnaissent volontiers que le moteur de la transformation des espèces demeure totalement inconnu, et qu'aucune grande énigme de la vie n'a été résolue. La véritable ambition des scientifiques est, en définitive, de perfectionner une méthode de travail privilégiant l'observation et l'expérience. Par souci d'objectivité, ils refusent toute approche qui serait entachée d'un esprit métaphysique. Mais ils constatent aussi que le monde vivant refuse de se laisser mettre en équation. En conséquence, la porte reste grande ouverte à toutes les croyances. La science n'a jamais prouvé et ne prouvera jamais que Dieu n'existe pas. Elle se tient au niveau des phénomènes, même si ceux-ci lui résistent souvent. Seuls les mythes peuvent aller plus loin qu'elle, dans la mesure où ils expriment, par leurs métaphores, la dimension cachée de l'homme. Ce dernier né d'une grande famille. Le plus encombrant et le plus insaisissable.

LA NOSTALGIE DE L'AGE D'OR

Bien qu'elle soit radicalement différente de la démarche scientifique, la « pensée sauvage » — celle des civilisations traditionnelles — véhicule elle aussi un authentique savoir d'ordre pratique. Mais dans les cultures que nous appelons archaïques, les connaissances suprêmes relèvent essentiellement du sacré. Elles s'organisent sous la forme de légendes (se présentant, selon la formule de Jean Servier, comme des « tableaux de correspondance entre Dieu, l'Homme et l'Univers ») qui font souvent allusion à un Age d'Or ayant pris fin à la suite d'un accident de parcours générateur de déchéance, de souffrances et de mort. Dans ces conditions, le respect des rites apparaît comme l'unique moyen de restituer à la créature mutilée l'essentiel de sa grandeur primordiale.

Chez les Bambaras d'Afrique, les ancêtres avaient abandonné le culte de l'acacia divin. « L'arbre les maudit. Ils connurent alors les maladies et les mauvais sentiments: rancune, haine, jalousie » *(G. Dieterlen: « Essai sur la religion Bambara »).*

En Australie, les mythes relatifs à l'origine du monde varient sensiblement, d'une tribu à l'autre. Mais la création demeure invariablement l'oeuvre d'esprits (les démas) intervenant sur une matière première préexistante. Pour les habitants de l'Ouest et du centre du Victoria, le déma portait le nom de Boundjil. Il était, à la fois, homme et aigle et avait deux femmes cygnes « qui lui donnèrent un fils, Binbil, l'homme pluie, lequel constituait l'arc-en-ciel avec son épouse. Lorsqu'il vivait sur la terre, Boundjil en paracheva la surface, de façon à lui donner son apparence actuelle; la terre elle-même est éternelle. D'autre part, il institutionalisa la « loi », c'est-à-dire l'ordre du monde qui est éternellement en vigueur. Pénétrés de respect, les indigènes parlaient de lui comme d'un être bon et juste.

« La terre qui existait par elle-même, était plate, obscure et entourée d'eau. La voûte céleste reposait directement dessus. La terre reçut sa chaleur de Boundjil, et son mouvement d'un élan donné par Goroug, la femme-pie. Lorsque la terre fut réchauffée, il sortit de son sein les premiers hommes. » *(Nevermann, Worms et Pétri: « Les religions du Pacifique et d'Australie »).*

Tout aurait pu alors être pour le mieux dans le meilleur des mondes. Malheureusement, Boundjil décida, pour une raison inconnue, d'abandonner ses créatures à leur propre sort. « Il monta dans une tornade jusqu'à la voûte céleste. Il y vécut au pays fertile des eucalyptus et resta visible, depuis la terre, sous la forme des constellations d'Altaïr et de Jupiter. »

Un espoir, quand même, pour l'autre vie: « les

rayons de l'aurore sont la voie qui mène à son séjour, situé derrière l'horizon. C'est par cette route que les défunts se rendent au royaume des morts ».

La notion de chute est encore plus précise chez les Gounas qui vivaient dans le sud-est de l'Australie. Un génie du nom de Mounan Naoua les avait initiés aux rites religieux, leur avait enseigné le secret de la fabrication des armes et des canots. Or, des jeunes gens commirent l'imprudence de dévoiler indûment aux femmes certaines doctrines ésotériques. Aussitôt, Mounan Naoua rompit avec les hommes. « Il se retira au plus profond des cieux; sur terre, on se mit à massacrer aveuglément, des inondations ravagèrent la planète et l'aurore australe étala ses flammes dans le ciel de midi. »

La mythologie de Sumer est, pour sa part, extrêmement intéressante à étudier parce qu'elle a, dans une certaine mesure, influencé le récit biblique. Selon Samuel Kramer, « au commencement était la mer primordiale. On ne dit rien de son origine ou de sa naissance, et il est bien possible que les sumériens l'aient conçue comme ayant toujours existé. Cette mer primitive produisit la montagne cosmique, composée du ciel et de la terre encore mélangés et réunis. Personnifiés et conçus comme des dieux à forme humaine, le ciel, autrement dit le dieu An, joua le rôle de mâle et la terre, autrement dit Ki, celui de la femelle. De leur union naquit le dieu de l'air, Enlil. Ce dernier désunit le ciel de la terre et, tandis que son père An emportait le ciel de son côté, Enlil emportait la terre, sa mère. L'union d'Enlil et de sa mère fut à l'origine de l'univers organisé: de la création de l'homme, des animaux, des plantes et de l'établissement de la civilisation ». *(S.N. Kramer: « L'histoire commence à Sumer »).*

Cette création correspondait, au départ, à un véritable paradis terrestre dont les sumériens gardèrent toujours la nostalgie. L'harmonie bienheureuse, « où il n'y avait ni peur, ni terreur », fut — selon certaines traditions — rompue par la faute d'Enki, le seigneur de la terre, qui voulut secouer la tutelle d'Enlil, dieu du ciel. Aussitôt, la haine, la guerre, les passions agitèrent le monde. Une autre version affirme que les hommes eurent leur part de responsabilité dans la chute. Ils excitèrent la colère des dieux par leur comportement anarchique, ce qui leur valut d'être châtiés. Quoi qu'il en soit, la fin de l'Age d'Or, dans les conceptions sumériennes, s'accompagna d'un déluge ayant pour but de noyer les indésirables et de donner une nouvelle chance aux survivants.

Les Chinois, quant à eux, considéraient le cosmos comme le sous-produit d'une sorte de dieu. Un ouvrage du VIème siècle après J.C. rapporte, en effet, une légende qui semble dériver d'un mythe beaucoup plus ancien. Au commencement, il n'y avait que le chaos. Celui-ci, qui ressemblait à un oeuf de poule, finit par donner naissance au géant P'an-Kou. Quand cet être puissant vint à mourir, les différentes parties de son corps se transformèrent pour constituer les éléments d'un univers assez peu réjouissant. « Sa tête devint les quatre montagnes cardinales, ses yeux devinrent le soleil et la lune, sa graisse devint les fleuves et les mers, ses poils et ses cheveux devinrent les plantes, son souffle devint le vent, sa voix devint le tonnerre, sa peau et sa chair devinrent les champs et le sol, ses sourcils devinrent les étoiles et les planètes, ses dents et ses os devinrent les métaux et les pierres, son sperme et sa moelle devinrent les perles et le jade, sa sueur devint la pluie et les marais. Ses poux devinrent les hommes » (*M. Soynié: « Mythologies des steppes, des forêts et des îles »).*

Dernier exemple: les Mayas. Le Popol Vuh, livre sacré du peuple Quiché, rapporte, selon Eric Thompson, que les dieux créèrent la terre, « la recouvrirent d'arbres, tracèrent le cours des rivières et la remplirent d'animaux assignant un habitat à chaque espèce.

Comme les animaux ne pouvaient parler, donc présenter des louanges ou des supplications à leurs créateurs, les dieux décidèrent de former une sorte de boue supérieure. Ces êtres étaient capables de parler, mais ils ne possédaient ni intelligence, ni force, et étant en boue, ils se dissolvaient dans l'eau. Les dieux mécontents les détruisirent. Ils firent alors des créatures en bois. Celles-ci parlaient, mangeaient et se reproduisaient. Mais leurs visages demeuraient sans expression, et étant en bois, elles étaient sèches, sans sang et avec une chair jaune. Leur intelligence restait très bornée, et elles ne manifestaient aucune gratitude envers leurs créateurs. Les dieux, découragés, envoyèrent des pluies pour les anéantir. Les singes descendent des quelques poupées de bois qui échappèrent à la destruction.

« Dans la création finale, la chair des ancêtres des Quiché fut faite avec du gruau de maïs, jaune et blanc, pris dans la cachette sous la montagne. Ces premiers hommes, quatre au total, possédaient trop de dons. Ils pouvaient voir la plus grande partie de la terre. Les dieux ne voulant pas qu'ils fussent leurs égaux, obscurcirent leurs yeux d'une brume légère, analogue à celle qu'on produit en soufflant sur un miroir, et leur vue se trouva réduite ». *(E. Thompson: « Grandeur et décadence de la civilisation Maya »).*

Ici encore, nous retrouvons le thème quasi constant des hommes semblables aux dieux à l'époque du commencement, puis rabaissés à un niveau plus modeste par un terrible diktat.

MYTHOLOGIES ARISTOCRATIQUES

Diverses mythologies, au lieu de commenter les splendeurs d'un âge d'or perdu et d'expliquer les raisons de la chute, tentent plutôt de légitimer l'existence des castes ou des classes sociales. Parmi ces conceptions foncièrement aristocratiques, il faut citer les légendes polynésiennes. A Samoa, par exemple, la création du monde est l'oeuvre de Tangaloa qui fut l'auteur de ses propres jours. Il « était à l'intérieur de lui-même, la pensée, la mémoire et l'observation ». Las de son immense solitude, il fit surgir par magie les dieux, le ciel et la terre, puis il donna directement la vie à l'ancêtre des « Ariki », c'est-à-dire des nobles.

L'origine des roturiers est infiniment plus prosaïque. « Le reste des hommes provient d'un ver de terre, né des algues de la côte. Un oiseau envoyé par Tangaloa le coupa en deux d'un coup de bec, et les deux moitiés devinrent l'homme et la femme ». *(« Les religions du Pacifique et de l'Australie »).*

En Inde, les dieux ont dépecé le corps de Purusa, le géant primordial. Sa bouche donna le Brâhmane, représentant de la caste supérieure; de ses bras naquit le Guerrier, inférieur au Brâhmane mais tout de même fort respectable; ses cuisses furent l'artisan. De ses pieds poussiéreux émergea le serviteur, le dernier des derniers.

Les Egyptiens, enfin, sont allés beaucoup plus loin. Ils n'ont pratiquement porté d'intérêt qu'à la création du monde et à l'avènement mythique du premier pharaon. D'après la théologie d'Héliopolis, une ville située à la pointe du delta du Nil, le dieu Râ fit surgir, lors d'une masturbation, le premier couple divin: Shou (l'atmosphère) et sa femme Tefnut (l'humidité). Shou et Tefnut engendrèrent le dieu Geb (la terre) et la déesse Nut (le ciel). Après quoi Râ, d'un seul mouvement, anima le cosmos et fonda l'ordre social en mettant la Justice (ma'at) à la place du chaos. En ce sens, il fut le premier roi et, par la suite, tous les Pharaons, considérés comme des incarnations de la ma'at, purent s'affirmer les descendants du dieu créateur. Ils avaient pour mission essentielle d'assurer, à la fois, la stabilité de l'univers et celle de l'Etat.

Et les humains dans cette affaire?

En vérité, les mythes les concernant demeurent assez vagues. Aristocrates et plébéiens vinrent au moment voulu. Un point c'est tout. Une légende disait, sans trop y croire, qu'ils naquirent des larmes de Râ. Une autre soutenait que Knoum, le potier céleste, avait modelé l'humanité entière sur son tour. En fait, ce flou dans la doctrine était sans importance, du moment qu'aucun doute ne subsistait quant à la divinité du Pharaon.

LE MYSTERE D'ADAM

Dans la tradition judéo-chrétienne, l'apparition de l'homme pose également quelques problèmes. Les deux versions de sa création offertes par la Bible sont en effet différentes. Reprenons-les, en suivant le texte, avant de les comparer méthodiquement.

Première version (Genèse 1, 26-28): « Dieu dit: faisons l'homme à notre image, selon notre ressemblance, et qu'il domine sur les poissons de la mer, sur les oiseaux du ciel, sur le bétail, sur toute la terre, et sur tous les reptiles qui rampent sur la terre. Dieu créa l'homme à son image, il le créa à l'image de Dieu, il créa l'homme et la femme. Dieu les bénit, et Dieu leur dit: soyez féconds, multipliez, remplissez la terre et l'assujettissez; et dominez sur les poissons de la mer, sur les oiseaux du ciel, et sur tout animal qui se meut sur la terre ».

Seconde version (Genèse 2, 7-24): « L'Eternel Dieu forma l'homme de la poussière de la terre, il souffla dans ses narines et l'homme devint un être vivant. Puis, l'Eternel Dieu planta un jardin en Eden, du côté de l'Orient, et il y mit l'homme qu'il avait formé. »

Suit une description du Paradis terrestre et l'on en vient à la fameuse mise en garde: « L'Eternel Dieu prit l'homme et le plaça dans le jardin d'Eden, pour le cultiver et veiller sur lui. L'Eternel Dieu donna cet ordre à l'homme: tu pourras manger de tous les arbres du jardin, mais tu ne mangeras pas de l'arbre de la connaissance du bien et du mal, car le jour où tu en mangeras, tu mourras. »

On arrive enfin au récit de la création de la femme: « L'Eternel Dieu dit: il n'est pas bon que l'homme soit seul, je lui ferai une aide semblable à lui. L'Eternel Dieu forma de la terre tous les animaux des champs et tous les oiseaux du ciel, et il les fit venir vers l'homme, pour voir comment il les appellerait, et afin que tout être vivant portât le nom que lui donnerait l'homme. Et l'homme donna des noms à tout le bétail, aux oiseaux du ciel et à tous les animaux des champs; mais pour l'homme, il ne trouva pas d'aide semblable à lui.

« Alors l'Eternel Dieu fit tomber un profond sommeil sur l'homme, qui s'endormit; et il prit une de ses côtes, et referma la chair à sa place. L'Eternel Dieu forma une femme de la côte qu'il avait prise à l'homme, et il l'amena vers l'homme. Et l'homme dit: voici cette fois celle qui est os de mes os et chair de ma chair! On l'appellera femme parce qu'elle a été prise de l'homme. C'est pourquoi l'homme quittera son père et sa mère, et s'attachera à sa femme, et ils deviendront une seule chair. »

Le tableau suivant va nous permettre d'y voir plus clair:

Version numéro un	**Version numéro deux**
— Dieu fait l'homme à son image (indication répétée à trois reprises).	— Dieu forme l'homme à partir de la poussière de la terre.
— L'homme a le pouvoir de dominer toute la terre et l'ensemble de ses créatures.	— L'homme reçoit comme domaine le jardin d'Eden. Il a pour mission de le cultiver et de le garder.

— Aucun interdit ne pèse sur l'homme. Nulle menace de chute ne le guette.

— Dieu crée en même temps l'homme et la femme.

— La suite du récit biblique ne permet pas de reconnaître Adam et Eve dans ce premier couple énigmatique, dont on ne sait même pas s'il a eu une descendance.

— Interdiction est faite à l'homme de manger d'un certain fruit. Sous peine de mort.

— Dieu crée d'abord l'homme. Plus tard il fait sortir la femme de la chair de l'homme.

— Après la chute, cet homme et cette femme porteront un nom. Ils seront alors Adam et Eve, les ancêtres de l'humanité.

De toute évidence, la Bible nous rapporte deux histoires totalement différentes. Cela a fait réfléchir quelques Pères de l'Eglise et une foule d'ésotéristes plus ou moins sérieux.

Saint Grégoire de Nysse, que le rite catholique célèbre le 9 mars et qui se fit remarquer comme un logicien de première force, admet sans difficulté la pluralité des créations adamiques. Selon lui, l'homme primordial — celui de la version numéro un — était un androgyne, c'est-à-dire un être réunissant en lui le principe mâle et le principe femelle. Il possédait une nature toute spirituelle et ne se trouvait point lié à la matière. Une sorte d'ange, en somme.

Le mystique Jacob Boehme partage la même opinion. Le premier Adam, écrit-il, « était un homme et aussi une femme et pourtant ni l'un ni l'autre, mais une vierge, pleine de chasteté, de pudeur et de pureté, telle l'image de Dieu; il avait les deux principes du feu et de la lumière en lui, et c'est dans leur conjonction que résidait son amour de lui, son amour virginal, qui était le beau jardin d'agrément planté de roses dans lequel il s'aimait lui-même. »

Le second Adam — celui auquel on fait toujours allusion quand on parle du Paradis terrestre — représentait une nette régression par rapport à l'homme primordial, puisqu'il avait été tiré de la poussière, donc de la matière. Dès sa naissance, il fut marqué du sceau de la chute, bien qu'il y eût aussi en lui une parcelle de l'Esprit divin. La séparation des sexes constituait également un nouveau pas sur la voie de la déchéance, la créature de Dieu, s'éloignant ainsi un peu plus du modèle androgyne.

Pourquoi ce recul deux fois confirmé?

Parce que, répond Saint Grégoire de Nysse, le Seigneur avait prévu le péché originel et ses conséquences, sans pour autant chercher à s'y opposer. Si l'on en croit Grégoire, Dieu aurait tout simplement préparé le terrain en vue de permettre au Démon d'exercer sa tentation. Pas moins!

Giovanni Papini s'est interrogé sur ce mystère. Il en a tiré une conclusion déconcertante. Le livre de Job, nous dit-il, révèle que « même après qu'il eût été chassé du ciel, il y eut de cordiales relations entre Dieu et Satan le révolté. » Bien plus, à travers les Ecritures, le Diable apparaît comme « un agent de Dieu, reconnu par Dieu: quelque chose de semblable à un juge d'instruction et à un accusateur public. On dirait presque un procureur du roi du ciel ». Ceci est confirmé notamment par le prophère Zacharie, « lequel vit le Grand Prêtre Joshua devant l'Ange de Jahveh et Satan qui se tenait à sa droite pour l'accuser ». *(G. Papini: « Le Diable »).*

Bref, le Diable agit lui aussi selon le plan de Dieu. Un plan qui vise à la glorification spirituelle de la création, même dans sa réalité totalement matérielle et opaque. Il importait donc qu'un homme, doté du libre arbitre, lié à la boue de par son origine et cependant éclairé par la lumière de l'Esprit, pût jouer le rôle d'opérateur dans cette véritable transmutation, au sens alchimique du terme. C'est là le secret de la mission confiée au second Adam. Le moins parfait, le plus fragile. Lui seul, dans sa débilité apparente, avait été conçu de toute éternité pour s'attacher à une tâche aussi grandiose et aussi pathétique.

Survivant à travers sa descendance, Adam peut se perdre définitivement ou bien gagner son salut et, du même coup, celui de la création dans son ensemble. Le Malin n'est venu le tenter, et provoquer sa chute, que pour mieux lui faire comprendre ce que Dieu attendait de lui. Ce n'est pas un coupable, mais un être responsable. Il lui appartient, en outre, d'aider Satan à se racheter. Certains théologiens des premiers siècles chrétiens l'ont affirmé et parmi eux le grand Origène.

LE SECRET DES INITIES

Jusqu'aux temps modernes, qui constituent une véritable rupture dans l'histoire, toutes les sociétés humaines, les plus humbles comme les plus différenciées, ont vécu dans la certitude que le monde visible n'était que le reflet imparfait d'un monde invisible, véritablement présent dans une autre dimension. Aussi, rien ne pressait davantage que d'établir la communication avec l'univers parallèle où se situaient les modèles transcendants dont l'homme devait s'inspirer, afin d'incarner dans le relatif, la vérité et la cohérence. Dans cet effort de réintégration, bien des procédés ont été utilisés. Certains nous paraissent aujourd'hui barbares, d'autres naïfs et superstitieux. Mais nos jugements n'ont en fait aucun sens parce que nous ne comprenons plus les motivations profondes des sociétés traditionnelles.

Pratiquée chez un grand nombre de peuples, la circoncision, par exemple, apparaît certes comme une mutilation cruelle et inutile. Il ne faut pas oublier, cependant, son caractère hautement symbolique. En répétant la section du cordon ombilical, elle marque,

Le dragon alchimique défiant le Soleil.

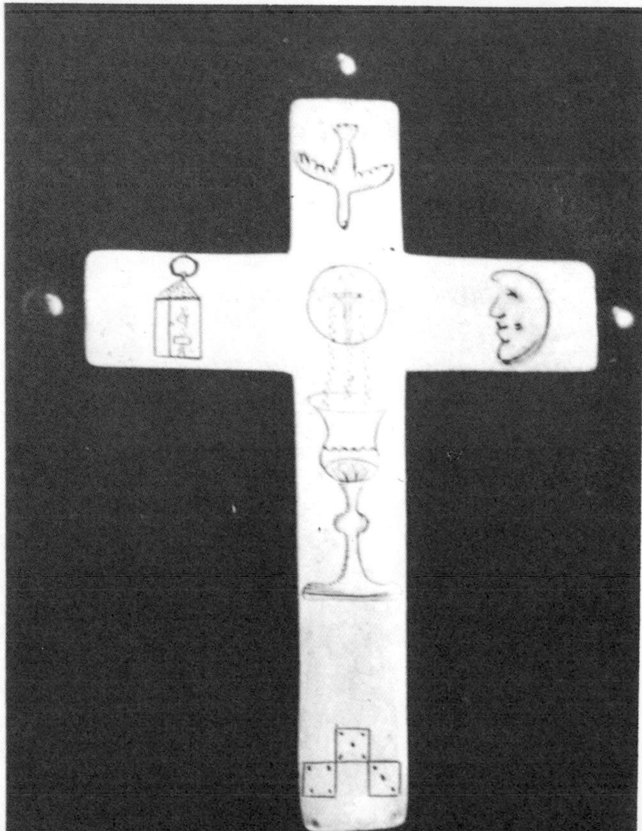

Croix pectorale du XVIIème siècle, portant des symboles alchimiques.

Calvaire alchimique d'Hendaye (Pyrénées Atlantiques).

rose, symbolisant le Grand Oeuvre alchimique, se retrouve parfois sur croix funéraires du XVIIème et du XVIIIème.

Linteau de porte décoré d'emblèmes d'inspiration alchimique: Soleil (e le monogramme du Christ), dragon, équerre et compas.

utils préhistoriques remontant à 400.000 ans.

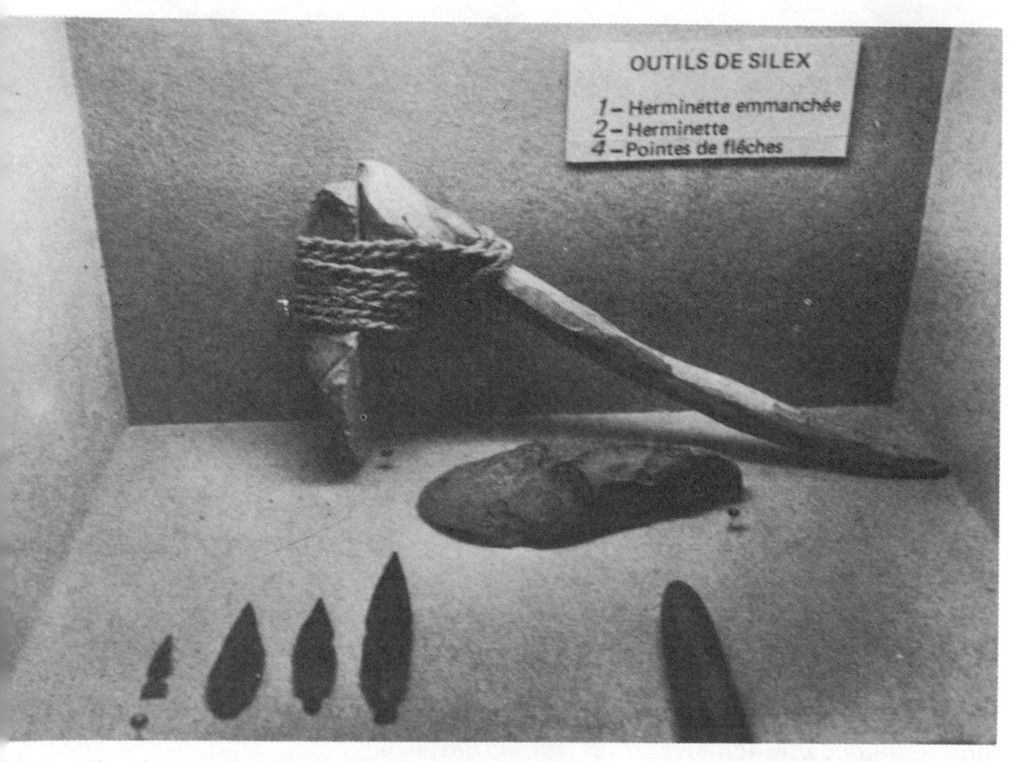

es outils des premiers agriculteurs (Tell Mureybet, en Syrie. 8.400 ans ant J.C.).

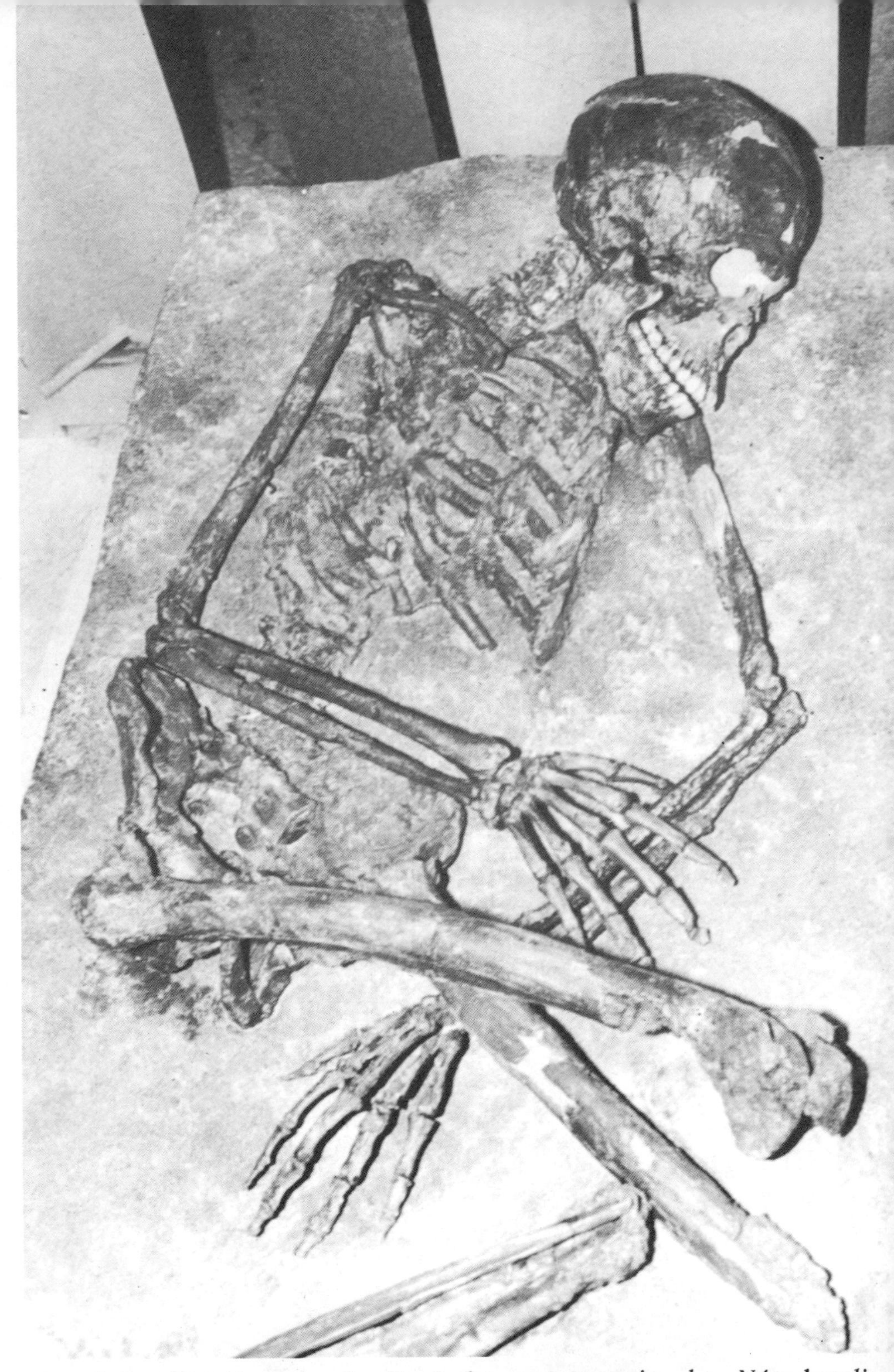

Squelette d'un homme de Quafzeh, contemporain des Néandertaliens mais annonçant déjà les races modernes.

Un dolmen géant.

La forme la moins élaborée du menhir: une énorme pierre brute fichée en terre.

Menhir phallique (Corse)

Menhirs sculptés en forme de silhouette humaine (Site de Filitosa).

Stèle funéraire basque (XVIème siècle).

Porche préhistorique taillé dans le roc (site de Mons, département du Var).

Le diable s'emparant de l'âme de Judas (Peinture de Canavésio, XVème siècle).

S'élevant en France, près de Nice, cette pyramide est connue dans le monde entier. Elle a été construite au début de notre ère par des soldats romains qui vouaient un culte au Dieu Mithra.

Rouelle solaire découverte sur un site romain, à Antibes.

Corne sculptée sur l'étrave d'une barque de pêche méditerranéenne.

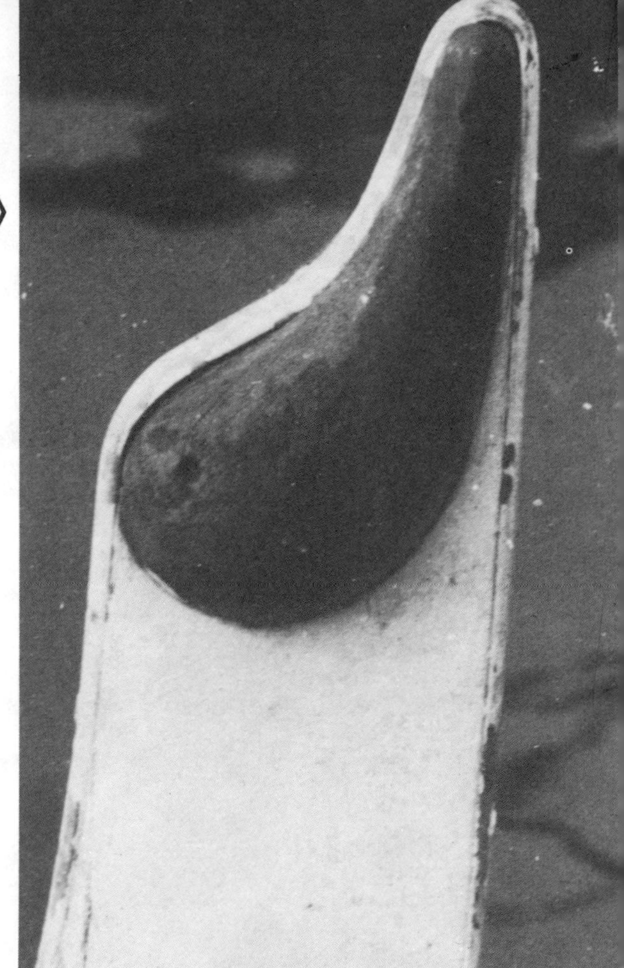

Chalutier portant une paire de cornes sur son roof.

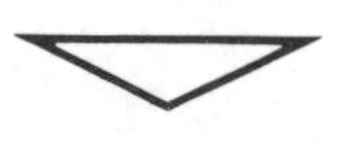

·hâteau de Valcros où Georges Marcolla recherche le trésor des Templiers.

Le Saint au coeur flamboyant (chapelle du château de Valcros).

pour ceux qui la pratiquent, la seconde naissance du jeune garçon, son entrée dans la communauté des hommes à part entière. Sans cette ablation, prescrite par le code des relations avec l'Invisible, l'enfant serait condamné à stagner dans l'irresponsabilité et l'impuissance. Il demeurerait à jamais une forme vide, une sorte de fantôme dépossédé de son droit à l'existence. Il n'appartiendrait ni au monde d'en haut ni au monde d'en bas. Il connaîtrait la pire condition qui soit: celle de l'individu sans feu ni lieu.

Or, au sein d'une société initiatique, nul ne peut vivre séparé des autres. La loi non écrite exige que chacun participe à l'oeuvre collective dont le but secret (révélé par les maîtres au moment opportun) est de maintenir l'harmonie du Grand Tout. Au commencement des temps, les divinités ont créé, organisé, structuré l'univers. Mais leur travail initial, pour efficace qu'il fût, a toujours été, par la suite, remis en cause par une chute ou une inévitable usure. C'est pourquoi les hommes ont pour obligation de collaborer inlassablement avec les forces supérieures, afin d'entretenir le principe vital. Ils sont, en quelque sorte, les gardiens de l'énergie sacrée.

Les sociétés que nous appelons archaïques — et il en existe encore quelques-unes — ne se soucient guère de progrès techniques ou de richesses matérielles jalousement possédées. Leur principale préoccupation est d'un autre ordre et d'une dimension bien plus ambitieuse. Elles assument l'irrationnel dont elles connaissent tous les arcanes.

II

Le 13 octobre 1972 l'avion transportant une équipe uruguayenne de joueurs de rugby, et quelques supporters, s'écrasait dans les Andes, à 3.500 mètres d'altitude, dans un secteur éloigné de toute agglomération.

Il y eut une vingtaine de survivants qui, faute de vivres, durent se résoudre à manger leurs morts.

Repérés tardivement, ils ne furent sauvés que le 23 décembre. L'un des rescapés, Coche Inciarte, fit alors une étrange confession à un prêtre, le Père Andrès, venu le visiter sur son lit d'hôpital.

« — C'est quelque chose que personne ne peut imaginer, dit-il. Avant j'allais à la messe tous les dimanches, recevoir la communion était devenu automatique. Mais là-haut, voyant tant de miracles, étant si près de Dieu, presque à le toucher, j'ai appris autre chose. Maintenant, je prie Dieu de me donner la force et de m'empêcher de redevenir celui que j'étais. J'ai appris que la vie est amour et que l'amour, c'est de donner à son prochain. Il n'y a rien de meilleur que de donner à ses frères humains...

« En l'écoutant, le Père Andrès en vint à comprendre la nature exacte du don que Coche Inciarte sous-entendait, le don de leur propre chair fait par ses compagnons morts. A peine l'avait-il compris que le prêtre rassura Coche, en lui disant qu'il n'avait commis aucun péché en agissant comme il l'avait fait.

« — Je reviendrai ce soir avec l'Eucharistie, ajouta-t-il ». *(Piers Paul Read: « Les survivants »).*

LA CHAIR SACREE

La confession de Coche Inciarte et la réaction du Père Andrès sont remarquables, dans la mesure où elles mettent en évidence — en plein XXème siècle — le caractère profondément sacré de l'anthropophagie.

Cette coutume soulève le coeur de l'homme occidental bien élevé et connaissant les bonnes manières. Ce qu'il oublie, c'est que le cannibalisme est très rarement un acte de barbarie pure et simple.

Le préhistorien espagnol Almagro-Basch note, à ce propos: « Dans un certain nombre de sites, la présence d'ossements humains isolés, tels des crânes ou des mandibules, peut être attribuée à des pratiques cultuelles reposant sur l'idée qu'en absorbant la chair d'autrui il est possible de s'approprier ce qu'il avait de plus fort en lui. On a découvert à Krapina, en Yougoslavie, de nombreux ossements calcinés ayant appartenu à une vingtaine d'individus de type néandertalien. Tous étaient brisés, principalement les os longs qui avaient été fendus comme si on avait voulu en extraire la moelle.

« A la Quina en France et à Taubach-Ehringsdorf, près de Weimar, ont été également mis au jour des restes d'hommes adultes provenant vraisemblablement d'un festin. Dans ces deux cas, il n'est absolument pas certain que l'on soit en présence d'une consommation de chair humaine s'expliquant par une disette momentanée. Le cannibalisme demeure avant tout rituel. Aujourd'hui, par exemple, dans certaines tribus australiennes, l'usage veut que l'on mange la dépouille des parents qui viennent de mourir. Et ceci pieusement, en quelque sorte, afin d'éviter qu'elle soit abandonnée à la corruption. Mais le macabre repas a surtout pour but d'assurer la prolongation de l'existence du défunt à travers les membres de sa propre lignée. (*Almagro-Basch: « Prehistoria »).*

De son côté, un auteur britannique, Garry Hogg, rappelle que le fameux Sinanthrope découvert en 1927, à proximité du village chinois de Chou-Kou-Tien, avait probablement l'habitude, il y a plus de 400.000 ans, d'extraire le cerveau de ses congénères pour le cuire et le dévorer. « L'homme de Cro-Magnon lui-même ne dédaignait pas, à l'occasion, la chair de ses semblables. Ses successeurs néolithiques, les premiers éleveurs et les premiers cultivateurs, maintinrent sur ce point la tradition. A l'âge du bronze, l'anthropophagie est également attestée. Bien plus, Hérodote, qui écrivait vers 430 avant J.C., affirme que les Scythes n'hésitaient pas à tuer les vieillards pour les manger. Strabon fait état d'un comportement analogue chez les Irlandais de son temps, et Saint Jérôme relate qu'en Ecosse, certaines peuplades buvaient le sang de leurs ennemis morts sur le champ de bataille ».

« Parfois, le cannibalisme peut être en corrélation avec des rites magico-religieux de la fertilité, soit en vue de la procréation, soit en vue d'obtenir des récoltes abondantes. Dans cette perspective, la fertilité a souvent été associée au sang et au principe vital. » *(G. Hogg: « Cannibalism and human sacrifice »).*

LES CHASSEURS DE TETES

Evoquant les moeurs des populations de la Nouvelle-Guinée, Philippe Diolé note, dans son ouvrage, « *Les oubliés du Pacifique* », que « la tête d'un mort tué au combat apporte aux vivants un supplément de vie, les pouvoirs de l'au-delà. Toute la tribu bénéficie de la force vitale qu'un de ses membres a conquise. »

De même, les crânes des ancêtres sont attachés aux murs des maisons cultuelles et vénérés à longueur d'année. En effet, pour les Papous, « les âmes ne sont pas immortelles. Les morts ne survivent que dans la mesure où leur souvenir est entretenu sur la terre. C'est la tâche de leurs descendants de les sauver du néant. De là, le culte des ancêtres qui entraîne une promiscuité constante entre les vivants et les restes des défunts. De là, une religion qui repose en majeure partie sur le culte des crânes, considérés comme les supports des forces supérieures ».

Les Celtes, à l'époque de la conquête de la Gaule pratiquaient également la chasse aux têtes. Ils attachaient au cou de leur monture le chef des ennemis décapités, puis — après avoir momifié ces trophées en les faisant baigner dans de l'huile de cade — ils les exposaient chez eux ou dans leurs sanctuaires. Parfois, ils les conservaient dans des coffrets précieux finement ouvragés par les meilleurs artisans. Il leur arrivait même de découper et de polir la voûte osseuse afin de la transformer en coupe à boire. Si l'on en croit Tite-Live, en 216 avant J.C., des Gaulois mirent en déroute une armée romaine et tuèrent son général, le consul Postumius. Ils lui tranchèrent le col et son « crâne, orné d'un cercle d'or, servit aux pontifes et aux prêtres du temple, de vase sacré pour offrir des libations dans les fêtes. Aux yeux du peuple, la proie ne fut pas moindre que la victoire. »

DU SANG POUR LES DIEUX

Soulignant l'esprit profondément religieux des contemporains de Vercingétorix, Jules César nous dit ceci: « On voit ceux qui sont atteints de maladies graves ou ceux qui risquent leur vie dans les combats ou autrement, immoler ou faire voeu d'immoler des victimes humaines, et se servir pour ce sacrifice du ministère des druides. Ils pensent, en effet, qu'on ne saurait apaiser les dieux immortels qu'en rachetant la vie d'un homme par la vie d'un autre homme, et il y a des sacrifices de ce genre qui sont d'institution publique.

« Certaines peuplades ont des mannequins de proportions colossales, faits d'osier tressé, qu'on remplit d'hommes vivants: on y met le feu, et les hommes sont la proie des flammes. Le supplice de ceux qui ont été arrêtés en flagrant délit de vol ou de brigandage ou à la suite de quelque crime passe pour plaire davantage aux dieux; mais lorsqu'on n'a pas assez de victimes de ce genre, on va jusqu'à brûler des innocents. »

Dans l'Orient méditerranéen, des sacrifices humains semblent avoir été pratiqués, au temps des moissons, à une époque difficile à préciser. Des légendes grecques gardent encore le souvenir de ces très vieux rites. L'une d'elles mentionne « un bâtard du roi Phrygien Midas, Lityersès, connu pour son appétit fabuleux et pour la passion avec laquelle il aimait récolter son blé. Tout étranger qui passait par hasard près de son champ était régalé par Lityersès, puis conduit au champ et obligé de moissonner avec lui. S'il était vaincu dans ce concours, Lityersès le ligotait dans une gerbe, lui tranchait la tête avec la faucille et jetait son corps sur le champ » *(Mircéa Eliade: « Traité d'histoire des religions »).*

En Europe du nord, les informations sont beaucoup plus précises. Des archéologues ont retrouvé, dans des tourbières, les cadavres remarquablement conservés d'un certain nombre de victimes. A Tollund, au Danemark, un homme de l'âge du Fer avait été étranglé avec une cordelette. Les rides de son front, comme le plissement de sa bouche, reflétaient encore son angoisse et sa souffrance. En Allemagne, au premier siècle de notre ère, une jeune fille nue, les yeux bandés, avait été noyée dans une tourbière peu profonde. Pour la maintenir sous l'eau, ses bourreaux l'avaient recouverte de deux grosses planches calées par un énorme bloc de pierre.

Dans ces régions, les anciennes tribus germaniques, nous dit Tacite, rassemblaient, à un jour fixé de longue date, toutes les personnes apparentées par le sang, afin de célébrer des sacrifices humains en l'honneur de leurs divinités. On ne sait pas comment les victimes étaient choisies. Parmi celles qui ont été retrouvées naturellement momifiées, plusieurs, en tout cas, n'appartenaient pas au commun des paysans. La finesse de leurs mains montrait qu'elles relevaient d'une classe sociale dispensée des contraintes d'un rude travail.

Plus près de nous dans le temps, l'exemple des Khonds, au Bengale, éclaire, de façon saisissante, le problème du sacrifice humain agricole, puisque le rituel ancestral était encore pratiqué dans cette tribu vers le milieu du XIXème siècle. La victime (le Mériah) était toujours consentante. Pendant longtemps, elle vivait aux frais de la communauté, avait le droit de se marier et pouvait cultiver, afin d'améliorer ses revenus, une parcelle spécialement mise à sa disposition. Quand l'heure sonnait, le Mériah était tondu au cours d'une cérémonie qui s'achevait en orgie. Puis, on le conduisait dans une forêt écartée, on le parfumait, on lui passait des colliers de fleurs autour du cou, tandis que la foule lui témoignait des marques d'adoration. Finalement, le Mériah, drogué à l'opium et ligoté serré, périssait sur un bûcher ou bien le corps broyé à coups de barre de fer. Le cadavre était ensuite dépecé. Chaque chef de famille recevait alors un morceau de chair, et se hâtait d'aller l'enfouir dans son champ afin de le rendre fertile.

Chez les Aztèques de l'ancien Mexique, le massacre était permanent. On tuait pour apaiser la plupart des dieux et même en l'honneur de la patronne des courtisanes.

Frénésie sauvage?

« Honnêtement, il ne semble pas, écrit Jacques Soustelle. Le guerrier prisonnier que l'on destinait à la pierre des sacrifices acceptait stoïquement ce sort, pour lui glorieux, et souvent même le sollicitait. Les récits ne manquent pas où l'on voit de tels captifs, à qui l'on offre la vie sauve, la refuser et aller d'eux-mêmes se placer sous le couteau. Une étrange relation s'établissait entre le prisonnier et celui qui, l'ayant capturé, allait le conduire à la mort: le premier s'adressait au second en l'appelant son « père vénéré ».

« Ce qui domine cet univers, ce qui pénètre toute sa conception des choses et de l'homme, c'est l'idée que la machinerie du monde, le mouvement du soleil, la succession des saisons, ne peuvent se maintenir et durer qu'en se nourrissant de l'énergie vitale que recèle « l'eau précieuse », c'est-à-dire le sang humain » *(J. Soustelle: « Les quatre soleils »).*

Quand les victimes manquaient, on organisait des expéditions sur les territoires voisins, afin de rafler des contingents d'hommes et de femmes. S'il le fallait, on procédait même à des achats massifs. Peu importaient les moyens. L'équilibre cosmique était en jeu. Des foules devaient périr pour que vive l'univers.

LES VOYAGES DU MAGICIEN

Dépêchés dans l'au-delà pour une mission ponctuelle, les sacrifiés aux divinités ne faisaient qu'une fois le grand voyage. Le chaman, quant à lui, sait prendre un billet de retour. Maître de l'extase et de la transe, ce magicien a exercé autrefois un peu partout. En Asie centrale et septentrionale, en Amérique du Nord, en Indonésie, en Océanie, en Europe etc. Aujourd'hui, il subsiste dans quelques groupes sociaux isolés et peu contaminés par les idéologies modernes.

Au départ, le chaman est souvent un malade présentant notamment des symptômes épileptoïdes ou hystériques. Mais c'est un malade qui s'est guéri par ses propres moyens. De ce fait, il a acquis le pouvoir d'effectuer de véritables expériences d'ordre mystique qu'il contrôle parfaitement. Il s'agit toujours d'un personnage exceptionnel, reconnu comme tel par les membres de sa communauté.

Considéré comme un élu, il sert de médiateur entre le monde d'en bas et les sphères de l'Invisible. Il communique avec les morts, les démons et les esprits de la nature sans jamais se mettre à leur service. Ce n'est pas un possédé, mais un technicien efficace du voyage dans les dimensions de l'au-delà. « C'est aussi le grand spécialiste de l'âme humaine. Lui seul la voit, connaît sa forme et sa destinée. »

Sa vocation se manifeste souvent par un rêve ou une vision indiquant qu'il a été remarqué par les forces occultes. Mais ce « signe » ne suffit pas; il faut qu'intervienne ensuite une initiation sévère, au cours de laquelle seront mimées la mort et la résurrection du candidat. « Chez les autochtones de Warburton Rangers, en Australie, l'initiation a lieu dans les conditions suivantes: l'aspirant pénètre dans une caverne et deux héros totémiques, le chat sauvage et l'émeu, le tuent, lui ouvrent le corps, en retirent les organes qu'ils remplacent par des substances magiques. Ils enlèvent aussi l'omoplate et le tibia qu'ils sèchent et, avant de les replacer, ils les farcissent des mêmes substances. Durant cette épreuve, l'aspirant est surveillé par son maître initiateur qui maintient les feux allumés et contrôle ses expériences extatiques » *(Mircéa Eliade: « Le chamanisme »).*

Aillcurs, le rituel prévoit, en outre, l'escalade d'un arbre ou d'un mât, ce rite symbolisant le vol et la lévitation. Une fois le cérémonial accompli, le nouveau chaman accède à un autre niveau d'humanité; il dépasse la condition profane. Lui seul peut, à la façon de Dante, descendre aux enfers et monter au paradis. Il est censé comprendre le langage des animaux; il retrouve l'Age d'Or primordial, au cours duquel la création s'épanouissait sans entrave dans l'harmonie et la concorde. Dès lors, il lui appartient d'assumer deux fonctions essentielles: procéder à des guérisons et accompagner les âmes des morts jusqu'au pays des ombres.

Parce que le chaman connaît les routes secrètes et ne risque pas de se perdre dans les régions maudites ou interdites, les défunts peuvent lui faire confiance. Grâce à lui, ils arriveront à bon port, sans risque ni effort. Chaque fois qu'il doit ainsi remplir son office de guide, le magicien entre dans une transe cataleptique, « autour de laquelle on trouve tous les caractères d'une mort apparente ». Quand sa mission est accomplie, il revient à la vie. Son pouls bat à nouveau, ses muscles se réchauffent et se détendent. Il ressuscite littéralement.

Le mécanisme de la guérison fonctionne selon un processus analogue. La maladie étant attribuée à un égarement ou à un enlèvement de l'âme, le problème consiste à la récupérer pour lui faire réintégrer le corps du patient. Le chaman tombe en extase et son esprit part à travers les étages cosmiques. Ceux-ci sont au nombre de trois: le ciel, la terre et les enfers. Un axe central les relie et le magicien, qui connaît l'endroit où se situe le point de communication, patrouille dans les espaces illimités aussi longtemps qu'il le faut. Quand il retrouve l'âme perdue, il la ramène à sa place et tout rentre dans l'ordre. « Pour faciliter sa transe, écrit Mircéa Eliade, le chaman va utiliser très souvent un tambour dont il se sert sur un rythme s'amplifiant en allant crescendo au fur et à mesure que la transe se concrétise. Au paroxysme de la musique, il va parler, il va entonner des hymnes rituels. » Parfois il danse, saute de plus en plus haut et provoque des « phénomènes para-psychologiques tels que lévitation d'objets, ébranlement de la tente, pluies de pierres et de morceaux de bois. »

Chez les Eskimos, les chamans ont également pour mission de rejoindre sous les eaux, quand cela est nécessaire, la mère des animaux afin de la supplier d'accorder aux hommes le bénéfice d'une chasse fructueuse. Certains possèdent la réputation de pouvoir voler jusqu'à la lune. D'autres prophétisent, arrêtent les tempêtes. En Amérique du Nord, en plus de leurs tâches traditionnelles, les chamans retrouvent les voleurs et luttent contre les sorciers, ces magiciens noirs dont les indiens redoutent les maléfices.

TORTURES RITUELLES

En tant que grand initié, le chaman joue souvent un rôle important dans les rites qui visent à insérer les jeunes de la tribu à la fois dans l'ordre cosmique et dans l'ordre social. D'une façon générale, les pratiques permettant cette double intégration des adolescents ne sont jamais les mêmes pour les garçons et pour les filles. Souvent elles demeurent essentiellement symboliques. Dans quelques cas, elle présentent un caractère d'extrême dureté et exigent un courage à toute épreuve de la part des postulants. L'exemple des indiens Mandans est, à cet égard, tout à fait significatif.

Au XIXème siècle, ce petit groupe de 2.000 personnes environ vivait sur les rives du Missouri, près de l'actuelle ville de Bismarck, dans le Dakota du Nord. Sédentaires, les Mandans avaient développé une culture originale avant d'être exterminés en 1837 par une épidémie de variole. Quelques années auparavant, le peintre-ethnologue George Catlin s'était installé parmi eux afin d'étudier leurs moeurs. Au cours de son séjour, il a eu l'occasion d'assister à leur plus importante cérémonie: l'O-Kee-Pa, qui se déroulait chaque année dans le cadre de la commémoration du Grand Déluge.

Seul le chaman avait le pouvoir de fixer le jour où devait commencer l'O-Kee-Pa. C'était celui où les feuilles de saule atteignaient leur épanouissement maximum. En cela, les Mandans se souvenaient des anciennes traditions d'après lesquelles une colombe, à la fin de l'inondation primordiale, avait apporté aux quelques rescapés un rameau de cet arbre, offrant des feuilles largement déployées. (1)

A l'aube de la journée marquant le début du rituel, un medecine-man symbolisant « le premier homme » pénétrait dans le village. Il allait de porte en porte pour rappeler aux habitants les péripéties du Grand Déluge. Ensuite, se déroulait la danse du bison, interprétée par douze hommes. Quatre d'entre eux marquaient les points cardinaux, les autres figuraient la « nuit », les « étoiles » et le « jour ».

Les candidats à l'initiation pénétraient alors dans la grande case du chaman. Tous étaient équipés comme s'ils partaient sur le sentier de la guerre: bouclier, arc

(1) L'écrivain américain Harold Mc Cracken a donné une description détaillée de l'O-Kee-Pa dans son livre « George Catlin and the Old Frontier ».

et carquois. Le maître des cérémonies demandait à leur intention la protection du Grand Esprit et les incitait à prier longuement avant l'épreuve qui les attendait. Pendant ce temps, un curieux personnage faisait irruption dans les ruelles. Venu de la prairie, il poussait des hurlements à donner des frissons dans le dos. Son corps entièrement peint en noir portait des cercles blancs. C'était « l'Ame du Diable ». Selon Catlin, « sous la fourrure de bison qui dissimulait son bas-ventre apparaissait un phallus artificiel, taillé dans une grande pièce de bois. Peint en noir, à l'exception du gland qui était d'un rouge vif, cet appendice battait de droit à gauche quand le « démon » marchait, et lui pendait jusqu'au genou. » Parvenu près des femmes, « l'Ame du Diable », à l'aide d'un astucieux dispositif, provoquait une érection de son formidable pénis. Suivait une mêlée générale, au cours de laquelle le provocateur perdait son postiche. A partir de cet instant, salué par un immense éclat de rire, les tortures rituelles pouvaient commencer.

Chaque aspirant à l'initiation était empoigné par plusieurs hommes qui lui enfonçaient dans les épaules et la poitrine des broches métalliques attachées à des cordes, elles-mêmes reliées à une sorte de potence. On tirait sur les filins pour hisser le patient à un mètre environ au dessus du sol. Tout le poids de son corps reposant sur les broches qui lui cisaillaient la chair, le néophyte, malgré ses souffrances, ne lâchait pas un cri, ne laissait pas échapper un gémissement. Même quand on le poussait à l'aide d'une perche pour le faire tournoyer de plus en plus rapidement. Dès qu'il s'était évanoui, on le descendait et on l'abandonnait, inerte, dans la poussière.

Quand il revenait à la vie, le garçon se traînait vers l'un de ses aînés qui, d'un coup de hache, lui tranchait la première phalange de l'auriculaire gauche. Un dernier supplice l'attendait encore. Deux adultes le saisissaient par les bras, suspendaient de lourds objets aux broches fichées dans ses muscles et l'entraînaient dans une course folle autour de la place du village. Bientôt, parvenu au bout de ses forces, il s'écroulait, sanglant et mutilé. Personne n'avait le droit de lui venir en aide. Peu à peu, il récupérait. Serrant les dents, il finissait par se redresser péniblement et, titubant comme un ivrogne, il rentrait chez lui pour se faire panser.

Parce qu'il avait fait au Grand Esprit l'offrande de la douleur, le jeune homme était désormais un Mandan parmi les Mandans. L'année suivante, il aurait à son tour le devoir d'enfoncer des broches dans la chair des autres. Gravement. Sans sadisme. Pas une seconde, il n'avait eu conscience d'être une victime. Jamais il ne se sentirait bourreau.

III

La science qui se penche uniquement sur les phénomènes apparents, est monolithique et universelle. On est biologiste de la même façon à Paris qu'à Pékin.

Les savoirs traditionnels, orientés vers l'exploration de l'Invisible, sont au contraire éparpillés comme les îles d'un archipel. Chaque peuple, chaque groupe ethnique possède ses propres mythes, ses propres rites, ses propres faisceaux d'explication, tout un appareil complexe destiné à l'usage interne et ne supportant guère d'être exporté hors de son territoire. Malgré cette fragmentation, on observe cependant d'étonnantes convergences, en des points du globe séparés par d'immenses distances et d'une époque à l'autre. A travers le temps et l'espace, le langage symbolique des magiciens se présente en définitive comme une sorte d'Espéranto. Ce phénomène demeure inexplicable si l'on n'admet pas l'existence d'une nature humaine invariable, et aussi l'unité de l'Invisible, qui impose sa loi et dicte les comportements.

Cohérent, bien que morcelé, le savoir traditionnel peut même battre la science sur son propre terrain. Il est en effet extrêmement curieux de constater que des sociétés, ou des hommes, ignorant totalement la rigueur rationaliste des approches modernes, sont parvenus il y a fort longtemps, à faire des découvertes spectaculaires dont nos savants ont vérifié après coup l'exactitude.

Pour les Dogons d'Afrique, par exemple, la terre est née d'un satellite de Sirius (invisible à l'oeil nu) qu'ils appellent « l'Etoile du mil » et dont la matière, précisent-ils, est constituée d'un métal extraordinairement lourd. Les plus anciennes légendes de ce peuple ajoutent que Sirius possède un autre satellite baptisé « Sorgho femelle ».

Sirius, l'« Etoile du Mil » et « Sorgho femelle » définissent mythologiquement un système « lié aux pratiques de renouvellement de la personne et par conséquent, aux cérémonies de renouvellement du monde ». Mais ce qu'il y a de stupéfiant dans cette affaire, c'est que les Dogons parlaient des deux satellites de Sirius bien avant que les astronomes aient songé qu'ils pouvaient exister. Ceci malgré leurs télescopes géants et toutes leurs connaissances mathématiques.

Le premier satellite, baptisé « Compagnon » fut repéré par Clark en 1862. C'est une naine blanche « dont la densité est 36.000 fois celle du soleil, 50.000 fois celle de l'eau. Son diamètre n'est que de 26.000 miles, pourtant elle renferme autant de matière que le soleil dont le diamètre est de 864.000 miles ».

Les Dogons avaient raison!

Aujourd'hui, les astronomes pensent que « Sorgho femelle » n'est pas une fiction. Ils lui ont donné le nom de code de Sirius C.

BOUDDHA ET L'ENERGIE ATOMIQUE

Dans un petit livre fracassant intitulé « Le passage de la matière à la vie », Emmy Guittès a démontré, à partir de documents d'une irréfutable authenticité que Gauthama Bouddha, au VIème siècle avant J.C., avait pressenti nombre de découvertes capitales de la science moderne.

« L'univers est une machine infinie composée de sphères immenses qui tournent dans des systèmes planétaires, enseignait-il. Ces sphères sont formées par la répétition d'atomes, de sphères infiniment petites, de particules infimes et invisibles qui tournent autour de l'atome comme dans un système solaire à une vitesse prodigieuse et toujours invariable, quelle que soit la substance. Le cosmos est un nombre infini d'univers en miniature. »

Bouddha avait prévu que la fission nucléaire entraînerait un formidable dégagement d'énergie. Précédant le physicien Jean Charon, il défendait le principe de l'existence dans la matière d'« unités d'esprit » (autrement dit de particules) présentant la caractéristique d'être immortelles. Il évoquait, en ces termes, la relativité du temps: « le présent est l'infime point du temps contractant l'infini. Il sépare le passé de l'avenir. Sa durée est infiniment plus courte qu'on ne peut l'imaginer. La durée du temps change de planète en planète et d'ère en ère. » Il connaissait également la cellule vivante et les microbes. Il était enfin résolument évolutionniste.

Une question alors. D'où venaient ces savoirs, celui des Dogons et celui de Gauthama Bouddha ?

A mon avis, il n'existe qu'une seule réponse. L'homme possède en lui d'exceptionnelles ressources de concentration mentale et spirituelle. Des êtres d'exception, au prix d'une ascèse rigoureuse, parviennent à les exploiter à fond en se libérant des pesanteurs de la chair. Ils peuvent alors crever leurs propres limites apparentes et se mettre en étroite communion avec les forces supérieures de l'Invisible. Quand ils se sont ainsi transcendés, l'univers se révèle à eux dans sa totalité et leur livre ses plus ultimes secrets.

Toutes les époques, tous les peuples ont ainsi connu quelques grands maîtres de l'énergie capable d'accéder à la connaissance directe par l'illumination. La connaissance la plus difficile à atteindre, mais la seule qui ne trompe pas.

LES POUVOIRS DU YOGI

Diverses techniques existent qui permettent de faciliter l'accès à l'illumination. Elles visent essentiellement à supprimer, chez l'homme, les inhibitions multiples qui l'empêchent de développer sa véritable dimension intérieure. Le Yoga, selon Sri Swami Sivananda, « est une science qui enseigne la méthode par laquelle l'esprit humain s'unit à Dieu ». Cette conjonction demeure possible parce que chacun d'entre nous constitue un petit univers (le microcosme) se définissant comme le reflet du grand univers (le macrocosme). « Tout ce qui existe dans l'univers existe également dans l'homme. Tous les éléments de l'univers ainsi que l'énergie suprême sont en lui ».

Le problème consiste alors à placer le microcosme sur la longueur d'onde du macrocosme. Dans ce but, l'apprenti yogi se soustrait aux passions qui dévorent l'énergie et s'entraîne, en pratiquant des exercices appropriés, à contrôler son souffle, à canaliser en lui la force vitale, à lessiver son être, ses pensées, son mental. La répétition d'un mantra, c'est-à-dire d'une phrase ou d'un mot tirés des écritures sacrées, l'aide à abolir la notion de temps et à établir en lui un silence, une vacuité favorisant le dépouillement total nécessaire pour accéder à l'état supra-conscient et extatique (le Samadhi) qui fera de lui un « libéré vivant ».

Tous les yogis confirmés ne parviennent cependant pas au même niveau de dévotion. « Tout en bas de l'échelle se trouve l'adoration des éléments et des esprits désincarnés. C'est la forme la plus basse de l'adoration. Ensuite vient l'adoration des sages, des dieux et des idées. Chacun adopte la foi qui correspond à sa propre nature. Un homme est selon sa foi; il est cette foi. Le troisième degré comprend les dévots qui adorent les saints comme Sri Rama, Krishna, Narasimha, Hanuman etc. Vient ensuite cette classe de dévots qui pratiquent une adoration de Dieu sans forme ni attribut. Ceci constitue la forme supérieure d'adoration et convient aux personnes intelligentes animées d'une forte volonté et d'un puissant désir de comprendre. » *(Sri Swami Sivananda: « Le yoga de la Kundalini »).*

Selon la tradition de l'Inde, les Yogis supérieurs d'antan possédaient des pouvoirs hors du commun: les huit Siddhis majeurs. Ils étaient capables de rendre leur corps aussi léger qu'un duvet et de léviter à volonté. Inversement, ils pouvaient s'alourdir au point qu'il devenait impossible à plusieurs personnes de les soulever. Comme les chamans, ils prophétisaient, parlaient le langage des animaux, obtenaient des dons de guérisseur. Ils pratiquaient la télépathie, lisaient dans la pensée des autres, restaient des semaines sans respirer, transformaient les métaux en or etc. Le Siddhi suprême faisait d'eux les égaux du Dieu tout puissant. Ils se noyaient alors dans la connaissance totale, ce qui les autorisait à ressusciter les morts d'un simple regard.

De nos jours, affirme-t-on en Inde, il est devenu impossible d'acquérir l'ensemble des Siddhis majeurs. Les plus grands Yogis s'en désintéressent d'ailleurs et cherchent surtout la communion mystique avec Dieu. Ils accèdent toutefois aux Siddhis mineurs, comprenant notamment l'indifférence au chaud et au froid, l'extase, la résistance à la maladie, la connaissance des réincarnations, la perception des lois régissant les planètes, le contrôle intégral du corps et du psychisme, la concentration intellectuelle absolue etc.

Très différent de la voie du yoga, le Zen combine l'esprit pratique de la Chine avec les profondeurs métaphysiques de l'esprit hindou. L'adepte, assis dans la position du lotus, doit se contenter de faire le vide en lui afin de se libérer de toutes les illusions relatives aux phénomènes. Il applique à la lettre les paroles du Bouddha à l'un de ses disciples: « Il faut que tu sois tes propres lampes, que tu sois tes propres refuges. Ne te réfugie en rien hors de toi-même. Reste fermement attaché à la vérité comme à une lampe et à un refuge. Le sage devient sa propre lumière en regardant sans cesse son corps, ses sentiments, ses perceptions, ses états d'âme et ses idées, de telle sorte qu'il dompte ses ardents désirs et les découragements des hommes ordinaires et qu'il est toujours énergie, maître de lui-même et de sa pensée. »

Un jour ou l'autre, cette pensée, n'espérant plus rien de l'extérieur, finit par s'anéantir dans le silence de la méditation, au rythme du souffle contrôlé. L'illumination vient. L'adepte sent se réveiller le Bouddha qui sommeillait en lui. Il plane soudain au dessus de toutes les contingences et de toutes les contradictions. Il entre de plain-pied dans le réel. Il est.

DES SAINTS IMPOSSIBLES

Contrairement aux gourous orientaux, les mystiques chrétiens ne portent guère d'intérêt aux techniques conduisant à l'extase. Pour eux, celle-ci ne peut être que le résultat de la Foi, de l'ascèse et de la prière. Ils s'abandonnent entre les mains de leur Seigneur. Advienne ce qu'il désire. Ils aiment le silence, la solitude, la chasteté, la méditation et le travail. Profondément persuadés que Satan se plait à singer les miracles de Dieu, ils se méfient des phénomènes extraordinaires, craignant qu'ils ne dégagent une odeur de soufre.

Certains couvents, pourtant, en ont vu de toutes les couleurs en matière de fantastique ou de surnaturel, comme l'on voudra. Parmi les saints qui lévitaient à la moindre occasion, citons: Ignace de Loyola, Joseph de Copertino (un recordman); Dunstan, archevêque de Canterbury; Etienne, qui fut roi de Hongrie; Thérèse d'Avila, Jean de la Croix, Pierre d'Alacantara, réformateur des Franciscains; Philippe de Néri, fondateur de l'Oratoire; Tommaso de Cori; le Père Suarez, théologien fameux du XVIème siècle. La liste n'est pas close. Loin de là.

Joseph Desa naquit à Copertino, en Apulie, au début du XVIIème siècle. Distrait, maladroit de ses mains, mais très pieux, il entra dans les Ordres et devint prêtre à l'âge de 25 ans. Ses supérieurs l'aimaient bien mais le trouvaient plutôt encombrant. Il passait une bonne partie de son temps à flotter en l'air sous les voûtes de la chapelle, traversait le cloître à deux ou trois mètres au dessus du sol, papillonnait au sommet des arbres en récitant ses oraisons. Chaque fois qu'il décollait, il poussait un grand cri. Un jour, le pape Urbain VIII le fit venir à Rome, sans doute par curiosité. Joseph de Copertino se livra à une démonstration éblouissante. Le Souverain Pontife et les cardinaux présents eurent le plus grand mal à le ramener sur terre.

D'une autre nature, le cas du Padre Pio est d'autant plus intéressant qu'il s'agit d'un de nos contemporains. Les témoignages le concernant sont fort nombreux, parfaitement recoupés, donc aussi crédibles que possible.

Ce saint homme — qui pour l'état-civil s'appelait Francesco Forgione — vit le jour le 25 mai 1887 à Pietralcina, en Italie du Sud, dans une famille de paysans très catholiques. Il devint Capucin et fut ordonné prêtre le 10 août 1910. Dans les semaines qui suivirent, il eut à livrer un farouche combat contre le Diable.

« La nuit, raconte son biographe, le R.P. Luna, Satan se présentait dans sa cellule sous les formes les plus diverses, en compagnie de ses acolytes. Ils en arrivèrent à le sortir de son lit et à lui enlever sa chemise pour pouvoir le rosser plus cruellement. Les moines les plus âgés ne savaient que faire. Devant ces preuves flagrantes de l'action satanique la plus outrancière, ils parlaient d'exorcismes, de conjurations comme en plein Moyen-Age. Il ne s'agissait pas d'imagination délirante, ni de déséquilibre mental. Le démon voulait à tout prix désespérer Fra Pio. »

Il n'y parvint pas. Moins de trois mois après son ordination Francesco vit apparaître sur ses mains, ses pieds et son flanc gauche les stigmates du Christ en croix. Ces blessures le firent souffrir toute sa vie. Des milliers de personnes ont pu les voir. Des médecins les ont examinées à maintes reprises. Elles étaient saignantes, profondes et pourtant ne s'infectèrent jamais.

Le Padre Pio pouvait léviter à l'occasion, mais il pratiquait surtout la bilocation. Autrement dit, il était capable de se trouver au même moment en deux endroits différents. Souvent, tandis qu'il priait dans son couvent en compagnie des autres religieux, un malade, des dizaines de kilomètres plus loin, recevait la visite du Capucin « dédoublé » qui le réconfortait et souvent le guérissait. Des documents irréfutables prouvent que le Padre Pio sauva ainsi un nombre important de personnes condamnées par la médecine et le plus souvent incroyantes.

Le plus ahurissant maintenant. Un habitant de Foggia, Antonio Paladino, qui, depuis 33 ans, ne se déplaçait plus que dans un fauteuil à roulettes, les jambes paralysées à la suite d'un grave accident, sentit dans la nuit du 12 décembre 1968 qu'on lui touchait l'épaule gauche. Debout devant lui un vieux moine le regardait attentivement.

« Lève-toi! lui ordonna le moine.

« Moi?... Comment!... Il y a tant d'années, bougonna Antonio.

« Lève-toi et marche! reprit le vieux moine qui insista: Lève-toi et suis-moi!

« Le regard et le ton de cet étrange visiteur n'admettait pas de réplique. Et déjà le visiteur avait relevé les couvertures, avait saisi les jambes d'Antonio, les avait sorties du lit.

« Subjugué, Paladino posa les pieds sur le parquet, et se rendit compte qu'il tenait parfaitement debout tout seul. Il ressentait dans tout son corps qu'il pouvait se déplacer sur ses deux jambes.

« Allez! Suis-moi! ordonna le religieux ». ([1]).

Paladino marcha de long en large pendant un moment. Avant de partir, le Capucin se nomma et dit: « va prier ce matin sur ma tombe. »

Le 12 décembre 1968 le Padre Pio, en effet, était mort depuis deux mois.

Comprenne qui peut...

([1]) R. P. Luna: « Vie et Passion du PADRE PIO ».

LE ROYAUME ET LES NOMBRES

I

La terre est un royaume quand s'y projette l'image des dieux. L'Inde a découvert très tôt cette règle d'or; elle ne l'a jamais oubliée. Il y a près de 6.000 ans, les agriculteurs des vallées d'Amri et de Quetta sculptaient déjà des idoles en forme de phallus, qui annonçaient la figuration la plus sacrée de Shiva, le grand fécondateur. En 2.500 avant notre ère, le même emblème était vénéré dans le nord-ouest du pays par la population de Mohenjo-Daro, une cité à la civilisation brillante qui connaissait la standardisation des poids et mesures, le travail du bronze et le yoga. De nos jours, dans le Saint des Saints des temples hindous se dresse toujours le sexe divin.

Sa représentation symbolique « est formée de trois parties, un autel cubique, correspondant à la terre, surmonté de l'« arghya » (réceptacle) ou du « yoni » (vagin) qui sert de récipient et de voie d'écoulement pour l'eau lustrale. Au centre du « yoni » et enserré par lui s'élève vers le ciel, le phallus, appelé « linga », un mot qui veut dire « signe ». Le linga est fait d'une pierre qui est carrée à l'intérieur de l'autel, octogonale lorsqu'elle traverse le yoni et cylindrique dans sa partie dressée au dessus de l'autel. Le linga est entouré d'un serpent, représentant l'énergie sexuelle (la Kundalini), qui en lèche l'extrémité de sa langue fourchue.

« L'autel représente le monde, la masse du créé, issue de l'union des contraires, symbolisée par l'action du phallus, source de la vie et de l'intellect, principe de la matière. Toutefois, dans le symbole de Shiva, le phallus se trouve inversé par rapport à la vulve. Il ne la pénètre pas, ne se perd pas en elle pour la féconder, mais au contraire, enserré par elle à sa base, il s'en dégage pour se dresser libre vers le zénith. » *(Alain Daniélou: « La sculpture érotique hindoue »).*

Où qu'il se trouve, le linga est toujours considéré comme l'axe du monde, comme le point focal de la création. Il est la matérialisation du moyeu de l'univers autour duquel tournent les sphères visibles et invisibles. Il concrétise le lieu privilégié où se manifestent les puissances supérieures, où passe l'échelle des dieux, où le relatif tente de se mettre en relation avec le réel absolu.

Dans la conception hindouiste, le réel absolu c'est le Brahman, la Cause qui est devenue Effet. « Au début, disent les hymnes du Rig-Véda, il n'y avait ni l'être, ni le non-être, il n'y avait ni l'atmosphère, ni le ciel au dessus. Ni la mort n'était alors, ni l'immortalité. Seul l'Un respirait, sans souffle étranger, de lui-même et il n'y avait rien d'autre que lui. » Dans l'éternité où se succèdent le Brahman manifesté et le Brahman non manifesté, la création proprement dite demeure un mystère. « D'où vient-elle? Celui dont l'existence veille sur elle du plus haut des cieux, celui-là le sait et encore le sait-il? » (Rig-Véda X).

L'homme éclairé comprend que la matière est relative et irréelle. « Il découvre qu'il émane du Brahman et s'efforce d'y retourner ». Le seul salut possible consiste à tout offrir au divin ineffable et à ne faire qu'un avec lui. Une tâche épuisante qui use plusieurs vies l'une après l'autre. Afin de faciliter la délivrance de l'âme en quête du Brahman existent les rites, l'initiation et le yoga. Le temple se définit comme le carrefour de ces voies, mais si l'on ne veut pas qu'il se réduise à un édifice creux et sans résonance, il importe de le construire selon des normes rigoureuses, respectant l'harmonie du cosmos et celle de l'homme, laquelle dérive d'ailleurs de la première.

L'architecture devient alors une science sacrée et magique. Elle vise « à une imitation des formes divines. Car c'est en suivant leur rythme qu'une reconstitution est effectuée, dans les limites des forces humaines » *(Aitarya Brahmana. 6-5-27).* Ce rythme, le maître d'oeuvre le retrouve dans les formules mathématiques résumant l'univers et dérivant toutes du cycle de la précession des équinoxes: 25.920 ans, soit 64 x 81 x 5 ou encore 2^6 x 3^4 x 5. Les nombres issus de la dynamique céleste permettent de construire « une sorte de centre magnétique qui cristallise, par sa structure, l'énergie cosmique et la fait rayonner autour de lui. » *(Alain Daniélou, op. cit.).*

LE TEMPLE DE SALOMON

Un autre exemple de correspondances chiffrées: le Temple de Jérusalem, édifié par Salomon avec la collaboration d'Hiram, mesurait 60 coudées de longueur, 20 de largeur et 30 de hauteur. La partie la plus secrète, le Saint des Saints où fut placée l'Arche d'Alliance contenant les Tables de la Loi, était cubique: 20 coudées dans toutes ses dimensions. Ce sanctuaire hautement sacré pour le peuple Juif contenait en outre un autel en bois d'acacia de cinq coudées sur cinq.

Si l'on examine de plus près les nombres du Temple, il apparaît d'abord que le 10 constitue sa base numérique (60 = 10 x 6; 20 = 10 x 2; 30 = 10 x 3). Or le nombre 10 — la décade pythagoricienne — définit une totalité, un achèvement. Il est le symbole de la création universelle et de son ordonnancement rigoureux.

Le 2, le 3 et le 6 viennent confirmer la charge cosmique du 10. Exprimant l'ambivalence entre le créateur et la créature, le masculin et le féminin, l'esprit et la matière, le blanc et le noir etc, le nombre deux appartient à la terre et la désigne sans équivoque. Le 3, en revanche, illustre le ciel. « C'est l'ordre installé en Dieu, dans le cosmos et dans l'homme ». La divinité est une en trois personnes. Seul le 3 achève l'unité et donne la Vie au 2.

Le nombre 6, dans la conception biblique, correspond à la création. C'est le nombre médiateur entre le Principe (évoqué par le 3) et la manifestation (symbolisée par le 2). Le monde fut créé en six jours, dans les six directions de l'espace, les quatre cardinales, le zénith et le nadir. Le 6 est un signe cosmique équivalent au 10. De l'un à l'autre le cycle symbolique est donc bouclé.

Passons au Saint des Saints. Puisqu'il s'agit d'un cube, son nombre directeur est le 4 qui représente la perfection divine, le développement complet de la création. De plus, le cube est l'image caractéristique de la divinité rayonnant sur un monde relatif, qui s'est racheté en surmontant ses déséquilibres et ses contradictions. L'Apocalypse, évoquant la Jérusalem céleste, dit qu'elle est égale dans toutes ses dimensions (XXI. 16-17).

Enfin, le nombre 5, affecté au côté de l'autel carré du sanctuaire, s'affirme à lui seul comme un véritable résumé de l'univers. Somme du 2 et du 3 il est également la charnière des neuf premiers nombres. En ce sens, il figure le trait d'union entre le principe céleste et son émanation terrestre. Il est l'emblème de la volonté divine d'où procèdent l'ordre et la perfection.

C'est Dieu qui avait dicté à Salomon le code chiffré du Temple de Jérusalem, comme il avait indiqué à Noé la forme et les mesures de l'Arche. Au Moyen-Age, les bâtisseurs des églises romanes s'inspirèrent des Ecritures pour que leurs vaisseaux de pierres fussent « comme le ciel dans toutes leurs proportions ». Ils se souvenaient en particulier de ce que Saint Paul avait dit aux Corinthiens: « Ne savez-vous pas que vous êtes le temple de Dieu, et que l'esprit de Dieu habite en vous? Si quelqu'un détruit le temple de Dieu, Dieu le détruira; car le temple de Dieu est saint et c'est ce que vous êtes » (I Cor. III-16).

De là naquit l'idée que les mesures du corps humain pouvaient offrir aux architectes un diagramme directeur cohérent, en correspondance avec les nombres sacrés exprimant les rythmes de l'univers dans son ensemble. Les maîtres d'oeuvre n'eurent qu'à s'inspirer des théories de Sainte Hildegarde de Bingen. « Dieu en faisant l'homme, affirmait-elle, a inclus en lui toutes les créatures, le firmament, le soleil, la lune, les étoiles. Ainsi les yeux se trouvent dans la région qui symbolise l'éther et rappellent la lumière solaire. Les extrémités du monde représentent les bras; les créatures du monde, le ventre et l'abîme, les pieds. Les fleuves qui irriguent la terre sont semblables aux veines. Le corps de l'homme est exprimé par le chiffre 5. Il possède cinq parties égales dans sa longueur et cinq parties égales dans sa largeur, cinq sens, cinq extrémités: tête, jambes et bras. » *(M-M Davy: « Initiation à la symbolique romane »).*

Conçue comme la projection d'un être humain idéal, l'église médiévale démontrait ainsi que l'homme est la mesure de toute chose. A condition de s'intégrer totalement dans la réalité divine.

« OTE TES SOULIERS DE TES PIEDS! »

Après avoir fui l'Egypte où il avait tué un homme qui malmenait un Juif, Moïse se retira dans le pays de Madian où Jethro l'hébergea. Il vécut assez longtemps en paix, gardant les moutons, puis un jour, du côté du désert, « l'Ange de l'Eternel lui apparut dans une flamme de feu, au milieu d'un buisson. Moïse regarda; et voici, le buisson était tout en feu, et le buisson ne se consumait point.

« Moïse dit: je veux me détourner pour voir quelle est cette grande vision, et pourquoi le buisson ne se consume point. L'Eternel vit qu'il se détournait pour voir; et Dieu l'appela du milieu du buisson, et dit Moïse! Moïse! Et il répondit: me voici! Dieu dit: N'approche pas d'ici, ôte tes souliers de tes pieds, car le lieu sur lequel tu te tiens est une terre sainte. » (Exode III 2-6).

Ce passage de la Bible met en évidence la relation très particulière que l'être religieux entretient avec l'espace. Pour lui, la surface de la planète n'est pas une étendue indifférenciée où l'on peut faire n'importe quoi, n'importe comment, à n'importe quel moment. Avant de mettre les pieds quelque part, il faut savoir où l'on va.

Si certaines zones restent neutres, d'autres au contraire sont chargées de sacré. Elles déterminent les points géographiques où le plan de l'Invisible recoupe celui de l'apparent et le vivifie. Que l'Invisible vienne à déserter ces secteurs chauds, et c'est toute la terre qui meurt. Elle sombre alors dans le chaos d'avant la création. Comme le souligne Mircéa Eliade, l'espace sacré est le seul qui soit réel, qui existe réellement. Tout ce qui l'entoure représente une sorte de terrain vague, de champ abandonné. Là où domine cette conception, l'une des fonctions de l'homme est d'assurer la maintenance de l'espace sacré, par les rites et le respect de l'ordre universel. C'est pourquoi les sociétés traditionnelles ne construisent pas comme nous des cités et des maisons purement utilitaires. Elles organisent leur habitat avec le plus grand soin afin qu'il soit toujours en corrélation avec le plan supérieur.

LA VILLE, IMAGE DU CIEL

Même les Romains, qui furent pourtant de redoutables technocrates, bâtissaient leurs villes selon des règles religieuses très rigoureuses. « Elles devaient s'inscrire dans un carré ou un rectangle que traversaient deux voies perpendiculaires tracées selon les médianes. De ces deux axes, l'un était orienté du nord au sud. Il portait le nom de « cardo » (ce qui signifie « pivot » ou « gond de la porte ». L'axe est-ouest était le « décumanus », terme de signification obscure, certainement en rapport avec le nombre dix, sans que nous puissions discerner clairement la raison de ce fait. » *(Pierre Grimal: « Les villes romaines »).*

Le premier acte de la fondation consistait à déterminer le lieu où se croiseraient le cardo et le décumanus. A l'aide d'un instrument de visée, un magistrat observait le soleil levant qui lui fournissait l'orientation du cardo. Celle-ci étant connue, il suffisait d'un dispositif en équerre pour concrétiser sur le sol la direction exacte du décumanus. Après quoi, on prévoyait l'emplacement de quatre portes, s'ouvrant chacune sur l'un des quatre points cardinaux.

Le fondateur invoquait les dieux et prenait les auspices, puis il traçait le périmètre des futurs remparts à l'aide d'une charrue tirée par une génisse et un taureau blancs. Le sillon gravé dans le sol « dessinait une ligne de protection magique. De la terre déchirée par le soc, surgissaient les divinités infernales qui prenaient possession du fossé et le rendaient religieusement infranchissable. »

Ces dieux d'en bas étaient ensuite apaisés par des offrandes déposées dans un trou portant le nom de « mundus ». Pour glorifier les dieux d'en haut, les prêtres désignaient enfin l'endroit où seraient édifiés les temples de Jupiter, de Junon et de Minerve. Cet emplacement, appelé le Capitole (de caput = tête) constituait littéralement le sommet du crâne de la cité naissante.

GEOGRAPHIE SACREE DU FOYER FAMILIAL

La maison, chez les peuples traditionnels, se présente également comme le reflet domestique de l'équilibre cosmique. L'ethnologue J.P. Leboeuf rapporte que, dans les villages Fali, au Cameroun septentrional, « les chambres sont réparties entre les quatre directions de l'espace. Les femmes sans descendance et les jeunes enfants dorment au nord, les jeunes gens au sud, les adultes, hommes et mères de famille, à l'ouest; les patriarches, à l'est. »

Il y a 20.000 ans, en Sibérie, les chasseurs préhistoriques de Mal'ta vivaient dans de grandes tentes rectangulaires. Les fouilles conduites sur ce site par le professeur Gerassimov ont montré l'existence d'aires de travail nettement séparées selon les sexes. Dans la moitié réservée aux hommes n'apparaissaient que des armes de chasse. Dans le secteur des femmes, on a retrouvé des aiguilles en os et des statuettes féminines, images de la fécondité. Quand on sait qu'à l'âge du renne régnait la notion de la division du monde en deux principes, l'un mâle, l'autre femelle, il n'est pas douteux que cette organisation interne du foyer correspondait au désir de le placer en harmonie avec la dualité du Grand Tout.

A travers le monde entier nous observons, là où n'est pas passé le rouleau compresseur de la société dite « avancée », le même souci d'insérer la cellule familiale au sein d'une dimension sacrée. Dans toutes les cultures organiques fondées sur la durée, note Georges Balandier, les habitations présentent deux caractères communs. « Le premier est qu'elles sont édifiées à la mesure de l'homme; le corps humain détermine leurs dimensions et leurs proportions. » En second lieu « elles ne sont jamais conçues comme le cadre d'activités banales, routinières. Elles sont doublement liées à la société, au monde. Elles se construisent matériellement et rituellement; elles constituent un espace réel et symbolique. Leur ornementation ne relève pas de la seule esthétique; elle peut être une « écriture » qui fait de la maison un livre où se trouvent consignées les données de la tradition et de l'histoire. »

A Tabelbala, par exemple, en plein Sahara, les coutumes ancestrales demeurent vivaces. Avant de creuser les fondations d'une nouvelle habitation, il faut d'abord procéder à un sacrifice. « Le moquadem de la confrérie à laquelle appartient le constructeur vient réciter la fatiha, le premier verset du Coran, pour « ouvrir » le travail. C'est à lui que revient le premier coup de pioche. Le chef de famille tue alors une poule ou un chevreau et en fait couler le sang dans la première ouverture de la terre. S'il est trop pauvre pour sacrifier une victime, il lui suffira de couper l'oreille d'une chèvre ou d'un mouton et d'en faire couler le sang sur le chantier amorcé.

« Au soir de l'occupation effective de la nouvelle maison, un encensement soigneux sera fait dans chaque pièce, la maîtresse de maison promenant lentement une cassolette où, sur quelques braises, elle répand du benjoin et de la résine du Soudan. Il est recommandé de dormir la première nuit à proximité d'un Coran ou d'un écrit prophylactique. »

En effet, les habitants de Tabelbala « ont le sentiment de procéder constamment sur une route périlleuse dont les obstacles ne peuvent être franchis qu'au moyen de rites clefs. Toute nouvelle route n'est « ouverte » que lorsque la communauté des vivants et celle plus abstraite, mais tout aussi sensible et organisée, des génies ont reçu avertissements et gages appropriés. » *(Dominique Champault: « Tabelbala. Une oasis du Sahara nord-occidental »).*

Superstitions?

Peut-être. Mais ce genre de superstitions peut engager les hommes jusqu'à la mort. Des aborigènes d'Australie, les Achilpa, en ont fait la terrible expérience.

Selon leur mythologie, Numbakula, le dieu créateur, leur avait confié en des temps immémoriaux un poteau, taillé dans un tronc d'arbre, qui représentait l'axe du monde. Partout où les Achilpa plantaient ce poteau, ils étaient chez eux, sur un territoire consacré. Un jour, au cours de leurs pérégrinations, le mât de Nambakula se brisa par accident. Les Achilpa devinrent neurasthéniques, tournèrent en rond pendant quelques jours, puis tous moururent, presque en même temps.

Nul ne peut survivre dans le chaos.

II

En tant que montagne artificielle, et en raison de sa forme très particulière, la pyramide relève d'un symbolisme complexe. Axe du monde, au même titre que le tronc d'arbre des Achilpa, elle est un point de rencontre entre le ciel et la terre, un tertre magique où se concentre l'énergie cosmique, une sorte d'escalier conduisant vers la réalité supérieure. En Egypte, elle a exalté en outre une formidable volonté de puissance. Celle d'un pouvoir temporel qui affirmait avec orgueil son essence divine.

Quand ce type d'architecture apparut pour la première fois, il y a près de 5.000 ans, sous l'impulsion d'un ingénieur de génie qui s'appelait Imhotep, le travail de la pierre, au pays du Nil, était depuis longtemps connu, codifié, sans surprise. Les égyptiens savaient exploiter les carrières et transporter sur des traîneaux de gros blocs de calcaire qu'ils ajustaient ensuite avec une précision remarquable, comme en témoignent les plus anciennes tombes royales. Le passage au stade de la pyramide, vers 2.686 avant notre ère, ne les obligea pas à inventer des méthodes nouvelles. Ils appliquèrent seulement sur une échelle gigantesque et sans précédent, les techniques traditionnelles qu'ils possédaient à fond. Auparavant ils manipulaient quelques dizaines de quintaux de pierre. Pour le tombeau de Zozer, à Saqqara, il leur fallut en charrier un bon million de tonnes. Et ce n'était qu'un début.

LES GEANTS DE GUIZEH

Avec les trois géantes de Guizeh, non loin du Caire, nous entrons dans le fief de la carte postale en couleurs. Tout le monde connaît les pyramides de Chéops, Képhren et Mykérinos.

La première bat tous les records avec ses 230 mètres de côté et ses 150 mètres de haut. Durant l'Antiquité, ce fut la vedette des sept merveilles du monde. Son angle d'élévation est de 52 degrés et son passage d'entrée s'oriente directement sur la Polaire. Des galeries intérieures conduisent à trois chambres funéraires. L'une est taillée dans le soubassement rocheux, à la verticale du sommet. La « chambre de la Reine » se situe à quelque trente mètres au dessus du sol. La dernière (la « chambre du Roi) s'ouvre un peu plus haut que la précédente et mesure 10,50 m sur 5,30 m. Elle recèle un sarcophage rectangulaire et sans couvercle.

La pyramide de Képhren (216 mètres de côté pour une hauteur de 140 mètres) offre une structure interne plus simple: une chambre funéraire près de la base et à la verticale du sommet. C'est tout. En 1968, le professeur Louis Alvarez, Prix Nobel et physicien à l'Université de Californie a radiographié l'édifice au moyen d'un appareillage hautement sophistiqué utilisant les rayons cosmiques. Il n'a repéré aucune autre chambre, aucune autre galerie. Cette expérience devait provoquer par la suite divers remous, un collaborateur de Louis Alvarez ayant déclaré que la pyramide « n'avait pas répondu normalement » au bombardement de particules. Les journaux sautèrent sur l'occasion. Un mystère égyptien se révèle toujours payant. C'était aller un peu vite en besogne. Rien ne prouve que le test de 1968 fut un échec ni que Képhren ait défié les lois de la physique.

Mykérinos enfin: 108 mètres de haut. La plus modeste des grandes. Elle aussi est orientée sur l'étoile Polaire. Ses trois chambres funéraires ont été taillées dans le roc lui servant d'assise.

Ces trois montagnes de pierres servirent de tombeaux. Tous les archéologues l'affirment. Mais leur véritable vocation se situa ailleurs.

PROPAGANDE POLITIQUE

Pourquoi les pyramides?

Un savant britannique, le Dr Knut Mendelssohn, s'est posé la question, après beaucoup d'autres. Il a sans doute trouvé la bonne réponse. Déconcertante et toute simple. L'Egypte, constate-t-il, a élevé des pyramides (80 environ) juste après l'unification des régions du Nord et du Sud. Le gros de l'effort s'est étalé durant un siècle tout au plus. Pour mener à bien ces chantiers, une main d'oeuvre énorme était nécessaire. L'esclavage n'existant pas dans le pays, les travailleurs furent des hommes libres.

« Or, à l'époque, les Egyptiens constituaient des unités tribales, séparées les unes des autres et probablement pas dans les meilleurs termes. » Afin de donner une unité à ce peuple parcellisé, il fallait, en utilisant des ressorts religieux et économiques, le lancer dans une grande aventure collective. Ce fut celle des pyramides.

Le pouvoir nourrissait la plèbe; celle-ci fournissait ses bras. En même temps, « l'administration centrale étendait son emprise sur la population. » Pour la première fois dans l'histoire, apparaissait une masse « dotée d'une conscience nationale. »

Puis le jour vint où « le pays ayant vécu depuis si longtemps dans son nouvel environnement social et politique, la vieille existence tribale fut oubliée.» L'épopée des pyramides devint alors inutile. On cessa d'en édifier. Une page était tournée.

Les fabuleux chantiers « ne représentaient pas un but en eux-mêmes, mais ils étaient le moyen de parvenir à un but: la création d'une nouvelle forme de société. Ces fantastiques tas de pierres marquent le lieu où l'homme a inventé l'Etat » *(Kurt Mendelssohn: « L'énigme des pyramides »).*

L'Etat, mais aussi la propagande et la bureaucratie. Il y a quelque 5.000 ans, une âme de rond-de-cuir dormait en chaque scribe.

MATHEMATICIENS SANS LE SAVOIR

Reste le problème des connaissances théoriques nécessaires pour construire de tels édifices. Il est évident qu'Imhotep et ses successeurs possédaient en particulier des notions de mathématiques. Kurt Mendelssohn constate que la Grande Pyramide, celle de Chéops, présente (et elle seule) une propriété géométrique remarquable: « le rapport de sa hauteur à son périmètre est le même que celui du rayon à la circonférence d'un cercle. »

De son côté, un autre auteur, Matila Ghyka, rappelle que dans les proportions de la pyramide de Chéops et celle de nombreux temples égyptiens, interviennent des nombres « fibonaciens » oscillant autour de la valeur idéale de la Section Dorée: 1,618.

Dans ces conditions, il est permis de se demander si les architectes des premières dynasties connaissaient le nombre transcendant «Pi» et le nom moins irrationnel Nombre d'Or. En fait, rien n'est moins certain. Ils ont très bien pu, estiment les spécialistes, tomber de façon empirique, et en quelque sorte sans le savoir, sur des rapports mathématiques que nous interprétons aujourd' hui en fonction de notre science élaborée. Toutes les affirmations, selon lesquelles les égyptiens de l'Antiquité maîtrisaient avec élégance un savoir fort avancé, semblent donc relever de l'imagination pure et simple. Il est bien plus raisonnable d'admettre que leurs plans régulateurs, remarquablement conçus par des hommes de terrain, portaient en eux-mêmes leur propre logique et leur propre cohérence géométrique. Une logique et une cohérence qui échappaient à ceux qui les traçaient.

L'ENERGIE PYRAMIDALE

Et maintenant, une concession à l'énigme. L'énergie pyramidale existe et personne ne sait ce que c'est. Il y a quelques années, la presse a parlé de l'étrange découverte de Karl Drbal, un ingénieur Tchécoslovaque. Tout à fait par hasard, celui-ci s'est rendu compte que l'on peut affûter une lame de rasoir en la plaçant dans une petite pyramide en carton, à condition toutefois que l'axe de la lame soit orienté dans la direction de la composante horizontale du champ magnétique terrestre. Karl Drbal a déposé un brevet homologuant son « invention », mais il attend toujours l'explication du phénomène.

Autre curiosité: un radiesthésiste français, Antoine Bovis, momifie à volonté des fleurs ou des morceaux de viande en les coiffant d'un module fabriqué selon les proportions de la Grande Pyramide. Par ailleurs, des parapsychologues utilisent des cabines pyramidales afin de relaxer leurs clients, de soigner les migraines et les coups de pompe. A Los-Angeles, « le laboratoire

ESP a construit deux pyramides à l'échelle humaine (un mètre quatre vingt et deux mètres quarante de haut). La forme pyramidale aurait de nombreux centres énergétiques, des « chakras », qui ressembleraient aux centres du corps humain. Plus de 80% des participants aux expériences du laboratoire ESP prétendent qu'ils peuvent déterminer avec précision les centres d'énergie des pyramides. Presque tous ont remarqué que l'énergie était de plus haute fréquence dans les parties supérieures des deux pyramides, celle d'un mètre quatre vingt et celle de deux mètres quarante. On trouve la même proportion de gens ayant noté une sensation de douce chaleur et d'apaisement dans les parties inférieures de la pyramide » *(Max Toth et Grieg Nielsen: « A la recherche du secret des pyramides »).*

Inutile de discuter des faits. Il faut s'incliner devant eux. Même lorsqu'ils sont insolites.

PHANTASMES ET PROPHETIES

En revanche, il vaut mieux écraser énergiquement le frein quand de pseudo initiés commencent à faire parler les monuments égyptiens comme s'ils étaient des tables tournantes.

Leur maître à tous fut un curieux personnage: Charles Piazzi-Smith, né à Naples en 1818, mais de nationalité britannique. A 26 ans, il devint astronome royal pour l'Ecosse et professeur à Edimbourg. Une belle carrière s'ouvrait devant lui. A 38 ans, il entrait à la Royal Society. Une consécration scientifique. Puis ce fut la catastrophe. Piazzi-Smith découvrit un beau jour les ouvrages d'un certain John Taylor, éditeur de son état et rêveur impénitent, qui prétendait démontrer que les égyptiens avaient inscrit dans la Grande Pyramide les secrets d'un savoir immense directement dicté par Dieu.

Enthousiasmé, l'astronome royal oublia toute prudence et décida d'approfondir la thèse de Taylor.

Estimant que l'unité de mesure utilisée par les constructeurs de la pyramide de Chéops était identique à l'inch anglais, il se rendit sur place afin de procéder à de multiples relevés. Rentré à Edimbourg, il élabora tout un système qui ne manque pas de surprendre.

Résumons-le à grands traits.

Une constatation exacte sert de point de départ à la démonstration: la relation entre la hauteur de l'édifice et la longueur de son carré de base s'exprime par le nombre « Pi » = 3,141... Ceci prouve, selon Piazzi-Smith, que l'ensemble du monument est rigoureusement codé. Et alors commencent les fantaisies. En multipliant la hauteur de la pyramide par un milliard, le savant égaré sur les sentiers d'un joyeux délire, obtient la distance de la terre au soleil. La longueur du côté de base divisée par 365,2424 (c'est-à-dire par la durée de la révolution de la terre autour du soleil) lui donne la dix millionième partie du rayon terrestre. En additionnant la longueur des deux diagonales du carré de base, il trouve le nombre 25826,4 correspondant au cycle de la précession des équinoxes. Le poids total de la Grande Pyramide est égal à la millionième partie du poids de la terre etc., etc.

Mathématicien hors pair, l'architecte de la Grande Pyramide était aussi un formidable astronome. CQFD.

Bien plus, il possédait une connaissance parfaite de la mystique des nombres, ce qui lui a permis d'inscrire dans la pierre toute l'histoire de l'humanité à partir de l'an 2.144 avant notre ère. Pour Charles Piazzi-Smith la grande galerie symbolise la voie céleste; le couloir descendant, celle de la chute et la galerie horizontale, le palier du néant spirituel. En étudiant minutieusement les proportions architecturales, il est possible de décrypter de fascinantes prophéties. Il suffit de savoir lire dans le calcaire et le granit.

Piazzi-Smith avait cru comprendre que 1881 serait une date clé. Les événements ne confirmèrent pas ses calculs. Ses successeurs essayèrent de faire mieux. Ils ont déterminé la date exacte de la naissance du Christ, prévu (après coup) la première et la seconde guerre mondiale, la bombe atomique, le spoutnik et bien d'autres choses encore. Nombre d'entre eux affirment que la chronologie pyramidale s'arrête au début du XXIème siècle. Le 7 septembre 2001 disent les plus précis.

Pourquoi? Parce que ce tournant marque le début d'un nouveau cycle cosmique. Celui de la dernière chance. Ou bien les hommes reviennent massivement à Dieu ou bien ils seront rayés de la carte. Un autre déluge. Mais cette fois de fer et de feu. D'ici une vingtaine d'années, nous saurons si la pyramide de Chéops avait raison...

LA MALEDICTION DU PHARAON

Le 5 novembre 1922, l'archéologue Howard Carter, dont les recherches étaient financées par Lord Carnavon, mettait au jour dans la Vallée des Rois, le tombeau du Pharaon Toutankhamon. Une sépulture intacte et d'une extraordinaire richesse. De gros titres dans la presse mondiale annoncèrent la nouvelle.

Retenu en Angleterre au moment de la découverte, Lord Carnavon ne put rejoindre le chantier de fouilles que le 23 novembre. Le vendredi 17 février 1923, au moment où il sortait de la chambre funéraire, il fut piqué à la joue par un insecte. La nuit suivante, une pustule apparut sur sa peau, tandis qu'une forte fièvre se déclarait. Le lendemain, il fallut transporter le malade au Caire pour l'hospitaliser. Fin mars, une congestion pulmonaire était diagnostiquée par les médecins. Le 5 avril à deux heures du matin, Lord Carnavon rendait le dernier soupir.

Au même moment, deux faits étranges se produisirent: une panne inexplicable priva d'électricité toute la capitale de l'Egypte. Au château de Highclere, en Grande-Bretagne, le chien du mécène poussa un hurlement lugubre et tomba raide mort.

« Tels sont les seuls faits authentiques étroitement rattachés au trépas du Lord, affirme l'égyptologue française Christiane Desroches-Noblecourt. Toutes les autres légendes provoquées par sa romantique disparition dans la gloire exaltante d'une découverte encore unique en son genre, ne sont que pure invention. »

Nombreux sont ceux pourtant qui croient toujours à la malédiction du Pharaon. Ils avancent une liste impressionnante de décès suspects parmi les personnes ayant été impliquées dans la « violation » de la sépulture de Toutankhamon. Ceux notamment de George Jay-Gould, un ami de Lord Carnavon; d'Almet Gourgar, collaborateur de Carter; de Jean Duemichen, qui procédait à des relevés d'inscriptions hiéroglyphiques; d'Archibald Douglas Reed, le médecin qui radiographia la momie royale; de Richard Bedell, secrétaire de la mission Carnavon-Carter; de Sir Audrey Herbert, qui eut le tort de visiter les fouilles; de Arthur Mace, archéologue américain et l'un des premiers à avoir pénétré dans la chambre funéraire; de Georges Bénéditte, conservateur en chef du département des Antiquités Egyptiennes au musée du Louvre etc.

A y regarder de plus près, ces morts plus ou moins subites, étalées sur une période de sept ans, ne présentent rien de foncièrement anormal. D'autre part, il convient de prendre en considération le nombre important de ceux qui continuèrent par la suite à couler des jours paisibles. Howard Carter en tête, qui s'éteignit le 2 mars 1939, à un âge normalement avancé. Parmi tous les spécialistes de diverses nationalités ayant participé, de près ou de loin, à la fouille du tombeau de Toutankhamon et à la mise en valeur de son trésor, il y en eut peu en définitive qui virent leur destin abrégé. Le Pharaon peut plaider non coupable. Sa « vengeance » est une invention des journalistes.

Dépouillés de l'aura inquiétante dont beaucoup d'esprits exaltés ont pris plaisir à les parer, les Egyptiens antiques nous apparaissent en fin de compte, grâce à l'histoire et à l'archéologie, comme des gens normaux. Avec leurs qualités et leurs défauts. Leurs grandeurs et leurs faiblesses. L'aristocratie était conservatrice; le peuple se montrait laborieux, ainsi qu'on l'attendait de lui; le clergé servait le pouvoir et sut donner parfois de remarquables théologiens. Son principal souci fut toujours de ne pas s'égarer dans un panthéon fourmillant de dieux concurrents et de maintenir contre vents et marées la divinité du Pharaon sur laquelle reposait la pérennité de l'Etat.

Si la civilisation égyptienne nous semble déconcertante, c'est parce que nous comprenons mal sa religion, l'une des plus compliquées que l'on puisse imaginer. Déjà, aux yeux des Grecs de l'époque classique, elle représentait un grand mystère que l'on supposait gardé par des prêtres très versés dans l'ésotérisme. L'idée depuis a fait son chemin.

Mais pour l'homme de science, estime le professeur Kasimir Michalowski, « cette obscurité tient avant tout au fait qu'elle n'est pas homogène, issue d'une même source, d'unc seule révélation, à l'inverse du Judaïsme ou du Christianisme. Le système de croyance est le résultat de nombreux facteurs d'origines diverses et souvent fort lointaines. » En vérité, c'est dans la préhistoire qu'il faut gratter pour en trouver les origines et non du côté des Atlantes. Tant pis pour le rêve!

Le mythe d'Osiris, en particulier, semble se rattacher aux très anciens rites pratiqués par les agriculteurs néolithiques. Fils de la Terre (Geb) et du Ciel (Nout), Osiris était un roi puissant qui avait épousé sa soeur Isis. Son frère Seth, jalousant le trône, décida un jour de le supprimer en usant d'un stratagème. Il ordonna à sa propre épouse, Nefti, de s'introduire durant la nuit dans le lit d'Osiris, après s'être revêtue de la chemise parfumée d'Isis. Tout se passa comme prévu. Le roi, peu méfiant, fit l'amour à sa belle-soeur en croyant s'accoupler avec Isis, puis, fatigué par l'effort, il s'endormit profondément. Seth et une poignée de ses fidèles surgirent alors, tuèrent Osiris et dépecèrent son cadavre en vingt morceaux qu'ils éparpillèrent à travers tout le pays.

Dès qu'elle eut connaissance du meurtre, Isis accablée de douleur, se lança par monts et vallées à la recherche des fragments de chair dispersés. Repentante, Nefti l'aida dans cette quête et les deux femmes réussirent finalement à reconstituer le corps d'Osiris, à l'exception du phallus qu'un poisson du Nil avait avalé. Isis, à force de patience, parvint à fabriquer un membre viril à peu près présentable et cette prothèse devint l'ancêtre de toutes les momies. Après quoi, la force de son amour lui permit de ranimer son époux qui engendra alors Horus à la tête de faucon.

Les dieux courroucés par le crime de Seth appelèrent Osiris auprès d'eux et lui confièrent la charge du royaume des morts, Horus lui succédant sur son trône terrestre. Selon la tradition, Osiris avait apporté à l'humanité les techniques de l'agriculture et les règles de la religion. Bon et compréhensif, il symbolisait le premier pouvoir politique instauré dans le Delta. Dieu fécondant, il était aussi identifié au Nil, dont les crues fertilisent périodiquement la terre, et présidait à la renaissance annuelle de la végétation.

Durant les premières dynasties, le Pharaon défunt, qui seul avait droit à la vie de l'au-delà, fut assimilé à Osiris. Après ses funérailles, il suivait la voie tracée par la divinité ressuscitée et la rejoignait dans les cieux où elle siégeait à égalité auprès de Râ, le dieu solaire. Puis vers 1991 avant notre ère, se produisit une véritable démocratisation de l'immortalité. Même les derniers des derniers, à condition d'avoir satisfait aux rites, purent prétendre au destin d'Osiris et à celui du Pharaon. On assista alors, selon la formule de Mircéa Eliade, « à une audacieuse valorisation de la mort assumée dorénavant comme une sorte de transmutation exaltante de l'existence incarnée. » La religion d'Etat s'était transformée en une religion de salut dont certaines composantes évoquaient déjà le contenu éthique et symbolique du Judaïsme et du Christianisme.

L'ENIGME DES MYSTERES

Le célèbre « Livre des Morts », qui constitue une sorte de guide magique du grand voyage, fait allusion à plusieurs reprises aux rites initiatiques des Mystères. Les auteurs grecs se sont beaucoup intéressés à cet aspect de la religion égyptienne et Plutarque écrit notamment: « Isis ne voulait pas que les luttes qu'elle avait soutenues et les souffrances qu'elle avait endurées tombent dans l'oubli; de même, elle n'acceptait pas l'idée que soient à jamais ignorés les nombreux actes de sagesse et de courage illustrant ces événements. Aussi la déesse décida d'instituer des mystères sacrés qui devaient traduire, au moyen d'images, de figures représentatives et de scènes mimiques, toutes les souffrances qui lui avaient été imposées. Elle entendait ainsi donner des leçons de piété et des motifs de consolation aux hommes et aux femmes qui devaient affronter les mêmes épreuves qu'elle. »

Il est malaisé aujourd'hui encore de se faire une idée précise des cérémonies qui se déroulaient dans le cadre des Mystères. La loi du silence était de rigueur pour les adeptes. Tout se passait à l'intérieur des temples verrouillés à double tour. Comme tous les hommes de l'Antiquité, les Egyptiens estimaient que la vérité divine, en raison de la puissance qu'elle communiquait à ceux qui la possédaient, ne pouvait être révélée aux gens ordinaires. Elle était réservée à une élite triée sur le volet. Il est normal dans ces conditions que les vestiges des monuments publics ne nous apportent pas d'informations précises sur les pratiques religieuses ésotériques.

Selon les rares documents évoquant des scènes d'initiation, il apparaît que le néophyte revêtait la peau d'un animal sacrifié et simulait l'immobilité de la mort avant d'être appelé à renaître dans une existence entièrement nouvelle, illuminée par la connaissance. Se fondant sur des recherches conduites par des Francs-Maçons américains, C. W. Leadbeater écrit que « le candidat, presque nu, entrait la corde au cou et les yeux bandés. Il était mené à la porte du temple; là on lui demandait son nom; il répondait qu'il était Shou, le « suppliant » ou l'« agenouillé » venant des ténèbres et allant vers la lumière. La porte était un triangle équilatéral en pierre qui pivotait sur son propre centre.

« En entrant, le candidat mettait le pied sur l'équerre; il était alors supposé continuer sa marche et abandonner le quaternaire inférieur ou personnalité de l'homme, afin de développer la triade supérieure, l'ego ou âme. On lui faisait suivre de longs couloirs et, après avoir répondu à de nombreux interrogatoires, il finissait par être amené au centre de la Loge où, à la question « que désirez-vous? », on lui disait de répondre « la lumière ».

« Dans tous ses déplacements, il devait s'appliquer à partir du pied gauche. Comme nous l'apprend le « Livre des Morts », si le candidat violait son serment on lui coupait la gorge ou on lui arrachait le coeur. Un autre degré se trouve mentionné dans le papyrus de Nesi-Amsou, où il est dit que le corps était coupé en morceaux, puis brûlé et que les cendres étaient jetées à la surface du fleuve et aux quatre vents du ciel. » (« *Le côté occulte de la Franc-Maçonnerie* »).

Dans ces rituels mal connus, la magie tenait un rôle important comme en témoigne le rapport rédigé par Ipuwet, un fonctionnaire de la sixième dynastie. Un temple ayant été mis à sac au cours d'une jacquerie, ce scribe méticuleux constate avec effarement qu'on « a emporté les papyrus déposés dans la magnifique salle du jugement. Le lieu secret a été abandonné, par les prêtres terrorisés, aux mains des insurgés. Les enchantements magiques ont été divulgués; désormais ils n'ont plus aucun pouvoir puisque le peuple les connaît. » *(Cité par G. Cantu: « La civilisation des Pharaons »).*

La plèbe avait largement accès en revanche à des fêtes publiques qui portaient également le nom de Mystères. Il s'agissait de véritables représentations théâtrales au cours desquelles l'on réactualisait les mythes, principalement la passion d'Osiris, la quête d'Isis, les combats d'Horus. Les organisateurs ne lésinaient pas sur les moyens. Vin à volonté. Grande mise en scène. Musiciens et danseuses. Sacrifices en série. Barques illuminées sur le fleuve. A Saïs, les acteurs jouaient sur une immense scène flottante, tandis que des lampes restaient allumées à travers toute la ville en l'honneur du dieu ressuscité. A Paprèmis, une cité du delta, partisans et adversaires de Seth s'affrontaient au cours d'une bataille rangée. A Abydos, le retour d'Osiris sur une barque sacrée était salué par des réjouissances populaires ponctées de joyeuses débauches.

Tenue habituellement à l'écart des secrets des temples, la foule, au cours de ces manifestations de masse, sombrait parfois dans un délire mystique. Rompant les barrages, elle se ruait sur les effigies des dieux pour les toucher, les embrasser, les porter, les implorer. Le peuple prenait comme il le pouvait sa part de rêve et d'espérance. Le reste de l'année il se rabattait sur les exorcismes, les envoûtements, les oracles et toutes sortes de pratiques sévèrement condamnées par le dogme officiel.

MOUREZ, NOUS FERONS LE RESTE

Le rituel funéraire est infiniment mieux connu que celui des Mystères. Tout commençait par la momification. Le cadavre était étendu sur une table en bois. La première opération consistait à lui extraire le cerveau au moyen d'une sorte de crochet métallique que l'on introduisait par les narines. Cela fait, l'embaumeur pratiquait une longue incision dans l'abdomen et prélevait les viscères. Puis il lavait soigneusement l'intérieur du corps avant de le bourrer d'aromates. Enfin il recousait la plaie.

Le défunt baignait ensuite pendant soixante dix jours dans une cuve pleine de natron. Ce délai expiré on passait à la mise en place des bandelettes, collées à la résine. Un travail long et délicat. Un tel traitement coûtait fort cher. Aussi les Pompes funèbres égyptiennes proposaient-elles à leurs clients diverses formules moins onéreuses qui permettaient de préserver tant bien que mal le cadavre, sans pour autant ruiner les héritiers.

La mise en bière s'accompagnait d'un dépôt d'amulettes (souvent en forme de scarabée) et de manuscrits sacrés destinés à faciliter le passage de l'âme devant le tribunal d'Osiris. Essentiellement magiques les rites funéraires comportaient plusieurs étapes. La plus importante s'appelait « l'ouverture de la bouche ». Un prêtre touchait le sarcophage à l'emplacement du coeur et du visage en récitant des incantations immuables, invitant les dieux à ranimer symboliquement la momie.

L'inhumation avait lieu en présence de pleureuses, de danseurs et de choeurs qui entonnaient des hymnes à la gloire du disparu. Dans la sépulture on plaçait près du cercueil, des vases contenant les viscères prélevés lors de l'embaumement, des statues de dieux, ainsi que les vêtements et les ustensiles familiers du mort. « Très réalistes, les égyptiens se représentaient la vie d'outre-tombe semblable à celle qu'ils avaient menée sur terre. C'est pourquoi dans leurs tombeaux nous voyons des représentations de la vie quotidienne. Ils pensaient ainsi que l'équipement du tombeau en tous les instruments employés sur terre, facilitait l'existence dans l'au-delà. Ils étaient d'avis qu'il n'y avait pas de vie, même intemporelle, sans travail physique; pour l'éviter au mort, on déposait dans son tombeau des figurines en forme de momie couvertes d'inscriptions — les ouchebti — qui devaient exécuter pour lui tous les travaux. De même qu'en fonction des ressources du défunt, le mobilier funéraire pouvait être fort modeste ou comprendre un véritable trésor d'objets en or et de bijoux, de même les ouchebti étaient plus ou moins grands, faits d'albâtre ou sculptés dans le bois et recouverts d'une feuille d'or, et pouvaient aussi être minuscules, en faïence, parfois en terre cuite, produits en masse pour les classes moins aisées. » *(K. Michalowski: « L'art de l'ancienne Egypte »).*

La pratique de la momification reposait sur la croyance solidement établie que seul accédait à l'éternité celui dont les neuf composantes étaient demeurées intactes: le corps physique, le corps spirituel, la personnalité mystique, l'âme, l'ombre, l'esprit, le coeur, l'énergie et le nom.

Une fois inhumé, le mort était censé comparaître devant le tribunal d'Osiris où il subissait un interrogatoire sur ses péchés et ses fautes. S'il gagnait son procès, il devenait « Juste de Voix » et entrait dans le royaume des béatitudes. S'il le perdait, il se voyait livrer au « dévoreur », un monstre évoquant à la fois le crocodile, le lion et l'hippopotame.

Les Eypgtiens n'ont certainement pas inventé l'immortalité de l'âme, mais leur façon d'appréhender le problème de la survie, notamment à travers l'initiation aux Mystères, a fini par influencer les autres peuples de l'Antiquité. Les Grecs en particulier ont beaucoup appris auprès d'eux et Eschyle, par exemple, n'hésitait pas à proclamer que le pays des pyramides représentait la « patrie sacrée de Zeus ». Pythagore et Hérodote, pour ne citer qu'eux, reçurent une formation poussée dans les temples de la vallée du Nil. Au VIème et au Vème siècle avant notre ère, alors que la civilisation égyptienne se trouvait en fin de parcours, les élites intellectuelles de la Méditerranée orientale pratiquaient une sorte d'oecuménisme très ouvert. Au delà des religions officielles s'imposait l'idée que toutes les croyances étaient fondamentalement semblables. La recherche de l'Invisible conduisait partout aux mêmes conclusions.

Bien que nous les connaissions mal les uns et les autres, il est possible d'affirmer qu'il n'exista pas une grande différence entre les mages Egyptiens, Chaldéens, Phrygiens et Eleusiniens. Par dessus les frontières politiques et ethniques, des hommes épris d'absolu n'ont cessé pendant longtemps de parler un langage commun. Malgré les apparences, ils portaient en eux les germes du monothéisme que devait faire triompher plus tard la parole venue de Palestine.

III

Pythagore n'est pas seulement le père d'un théorème célèbre. Cet homme exceptionnel, né aux environs de 580 avant J.C. dans l'île de Samos, vécut longtemps à Memphis, Saïs, Héliopolis et en Thrace avant de revenir s'installer dans sa patrie où il fonda une école. La jalousie du tyran Polycrate le contraignit à l'exil et c'est à Crotone, au sud de la botte italienne, qu'il put des années durant, dispenser en paix son enseignement. Mathématicien et philosophe il fut aussi le fondateur d'une véritable religion fondée sur la connaissance de l'harmonie de l'univers, la charité et l'amour.

Sa maxime « tout est arrangé d'après le nombre » a été rigoureusement vérifiée après 2.500 ans et comme l'écrit Bertrand Russell, l'un des créateurs de la logistique: « ce qu'il y a de plus étonnant dans la science moderne, c'est son retour au Pythagorisme ». Entre la pensée du vieux sage et la formule d'Einstein, $e=mc^2$, il n'y a pas de rupture de niveau, mais au contraire un remarquable enchaînement.

Au VIème siècle avant notre ère, les mathématiques ne descendaient pas sur la place publique. Elles se définissaient comme un savoir initiatique auquel pouvaient seuls prétendre ceux qui le méritaient. A Crotone les disciples de Pythagore formaient une fraternité discrète. Ils passaient d'abord par un noviciat de trois ans avant d'accéder aux cours du maître dont nul n'avait le droit de prononcer le nom. Il restait « Celui-là, l'Immortel, le Génie, le Divin ». Les élèves respectaient une hygiène rigoureuse, s'habillaient de blanc, pratiquaient la musique et le sport. Ils apprenaient la philosophie et l'histoire, mais surtout les secrets des proportions, des constructions géométriques dérivant des cinq corps solides réguliers, ceux des nombres figurés et des nombres irrationnels. Pythagore leur révélait aussi le caractère sacré de la Tétraktys dont le diagramme affecte la forme suivante:

*
* *
* * *
* * * *

Cette représentation ésotérique relevant du symbolisme de la Décade (le nombre dix) faisait l'objet d'un culte rigoureux. Une prière lui était adressée quotidiennement: « Bénis-nous, nombre divin, toi qui as engendré les dieux et les hommes! O Sainte Tétraktys toi qui contiens la racine et la source du flux éternel de la création! Car le nombre divin débute par l'unité pure et profonde et atteint ensuite le quatre sacré; ensuite il engendre la mère de tout, qui relie tout, le premier né, celui qui ne dévie jamais, qui ne se lasse jamais, le Dix sacré, qui détient la clé de toutes choses. »

Selon Nicomaque, l'école de Crotone considérait la Décade comme la mesure de l'univers. Elle avait été « comme une équerre et un cordeau dans la main de l'Ordonnateur ». Par elle le « Suprême artisan » avait fait naître le cosmos en le tirant du chaos. Pythagore affirmait aussi que les âmes immortelles se purifiaient au cours de réincarnations successives. Quand elles atteignaient enfin le degré supérieur, elles rejoignaient la sphère lumineuse des Bienheureux située du côté de la Voie Lactée. Elles ne méritaient plus d'autre patrie que les cieux.

L'enseignement de Pythagore qui influença nombre de penseurs puissants, et notamment Platon, fut une magie du monde créé et une magie de l'âme. Mais un jour vint où des esprits plus tourmentés voulurent connaître la nature secrète des mondes invisibles. Ils abandonnèrent alors la voie des mathématiques pour celle de l'illumination. Ce furent les Gnostiques.

UN MAGICIEN TUMULTUEUX

Des gens bizarres ces Gnostiques. Ils comptaient dans leurs rangs, à côté de quelques farfelus, de solides métaphysiciens dont les conceptions, hélas, nous échappent largement dans la mesure où elles n'ont été transmises que par les écrits de leurs adversaires. Le texte le plus célèbre est certainement celui des Actes des Apôtres consacré à un magicien fleurant le soufre. Quand le diacre Philippe vint prêcher le message du Christ en Samarie, il trouva sur place « un homme nommé Simon qui, se donnant pour un personnage important, exerçait toutes sortes de charmes et provoquait l'étonnement du peuple. Tous, depuis le plus petit jusqu'au plus grand, l'écoutaient attentivement, et disaient: celui-ci est la puissance de Dieu, celle qui s'appelle la grande. Ils l'écoutaient attentivement, parce qu'il les avait longtemps étonnés par ses actes de magie. Mais quand ils eurent cru à Philippe, qui leur annonçait la bonne nouvelle du royaume de Dieu et du nom de Jésus-Christ, hommes et femmes se firent baptiser. Simon lui-même crut et après avoir été baptisé il ne quittait plus Philippe, et il voyait avec étonnement les miracles et les grands prodiges qui s'opéraient.

« Les Apôtres, qui étaient à Jérusalem, ayant appris que la Samarie avait reçu la parole de Dieu, y envoyèrent Pierre et Jean. Ceux-ci arrivés chez les Samaritains, prièrent pour eux afin qu'ils reçussent le Saint Esprit. Car il n'était encore descendu sur aucun d'entre eux; ils avaient seulement été baptisés au nom du Seigneur Jésus. Alors Pierre et Jean leur imposèrent les mains, et ils reçurent le Saint Esprit.

« Lorsque Simon vit que le Saint Esprit était donné par l'imposition des mains des Apôtres, il leur offrit de l'argent, en disant: « Accordez-moi aussi ce pouvoir, afin que celui à qui j'imposerai les mains reçoive le Saint Esprit. » Mais Pierre lui dit: « que ton argent périsse avec toi, puisque tu as cru que le don de Dieu s'acquérait à prix d'argent! Il n'y a pour toi ni part ni lot dans cette affaire, car ton coeur n'est pas droit devant Dieu. Repens-toi donc de ta méchanceté, et prie le Seigneur pour que la pensée de ton coeur te soit pardonnée, s'il est possible; car je vois que tu es dans un fiel amer et dans les liens de l'iniquité ».

Et les Actes des Apôtres de conclure: « Simon répondit: « priez vous-mêmes le Seigneur pour moi, afin qu'il ne m'arrive rien de ce que vous m'avez dit. »

Les Pères de l'Eglise ont toujours considéré Simon le Magicien comme le doyen des hérétiques. Il semble en effet qu'il ne cessa, tout au long de sa vie tumultueuse, de s'acharner contre le Christianisme naissant. Grand voyageur devant l'Eternel il fit sans doute, durant sa jeunesse, un séjour à Alexandrie, la capitale des écoles gnostiques qui se multiplièrent en Asie Mineure et en Egypte de 250 avant J.C. au début du Vème siècle de notre ère. Simon en tout cas emprunta à ces sectes des éléments de doctrine qu'il arrangea ensuite d'une façon pour le moins originale.

Selon lui le péché originel n'avait jamais existé. Tout le mal sévissant sur la terre venait du fait que des démons, à force d'astuce et de malignité, étaient parvenus à enfermer dans une enveloppe humaine la pensée divine qui, depuis cet accident tragique, ne cessait de passer du corps d'une femme à celui d'une autre. Quand Simon était descendu dans l'arène, la pensée perdue se trouvait en garde à vue dans la chair d'Hélène, une prostituée de Tyr, qu'il avait fort heureusement découverte et aussitôt épousée. Marchant à la tête d'une petite troupe de fidèles, le Magicien proclamait urbi et orbi qu'il était seul capable de restituer à Dieu ce qui lui appartenait et de sauver du même coup la totalité des hommes égarés. Pour cela il suffisait de croire en lui et en Hélène. Tout le reste n'était qu'illusion et mensonges. En particulier les beaux discours des prolétaires illuminés qui se prétendaient les envoyés spéciaux d'un messie crucifié comme un voleur.

Voila ce que l'on sait de Simon, d'après les Pères de l'Eglise dont le souci principal fut de le descendre en flammes. Ces informateurs manquaient assurément d'objectivité. Nous ignorerons toujours la véritable personnalité de leur adversaire: un personnage haut en couleur qui s'intéressait à la métaphysique et aux femmes de mauvaise vie.

LES HIERARCHIES DE L'INVISIBLE

Tous les Gnostiques ne ressemblèrent pas à Simon le Magicien. La grande majorité d'entre eux prônaient l'ascèse et l'indifférence au monde sensible. Celui-ci, pour eux, n'avait aucune importance puisqu'il était la conséquence d'une chute provoquée au début des temps. Seule importait la dimension invisible, celle où évoluent Dieu et les cohortes d'êtres éthérés qui le servent ou le trahissent.

Vers le milieu du IIème siècle de notre ère, les systèmes gnostiques s'organisèrent et gagnèrent en cohérence. A travers ce que nous savons de Ménandre, de Basile l'Egyptien, de Valentin, pour ne citer que des chefs de file, il est possible de reconstituer l'essentiel des conceptions qui se développèrent alors, parallèlement au Christianisme et dans les marges de l'hérésie.

La commune aspiration des Gnostiques fut de posséder une science supérieure, réservée à eux seuls. Ils se considéraient comme les dépositaires d'une révélation. Leur savoir leur avait été donné directement par illumination et ils estimaient inutile de justifier leurs sources.

« Une autre tendance commune à tous les Gnostiques fut le besoin de rédemption. Le rêve de chacun d'entre eux était de s'élever jusqu'à Dieu. Ils pensaient qu'en cela ils obéissaient à une nécessité des choses et à une loi de leur propre nature. Tous eurent l'idée qu'il y avait dans le cosmos, notamment chez certains hommes, un principe divin. Cette étincelle divine était comme étrangère ici-bas. Elle s'était égarée dans un monde de ténèbres. Le problème était de savoir comment elle pourrait remonter aux régions supérieures d'où elle était venue. La rédemption consistait dans le retour à Dieu. Celle-ci n'était point limitée à la restauration de l'étincelle divine qui est en l'homme. Elle n'était pas simplement individuelle; elle devait être cosmique. Tout ce qui appartenait à Dieu se trouvait épars dans le cosmos et devait lui faire retour. » *(E. de Faye: « Gnostiques et gnosticismes »).*

Explorateurs inlassables du royaume invisible ils recensèrent minutieusement ses hiérarchies complexes. Au sommet se trouvait le Principe, la parfaite intelligence. Ce Dieu inaccessible avait créé un « monde supérieur » peuplé d'entités — les éons — qui, par la suite, suscitèrent l'apparition d'un « monde du milieu », moins parfait que le précédent. Les éons de ce deuxième monde donnèrent naissance au monde terrestre et matériel. A chaque étage de la création correspondaient des êtres bien réels et de moins en moins purs, dans la mesure où ils se trouvaient plus éloignés du Principe, du Feu ardent. Tous les niveaux possédaient leur souverain, assisté par un nombreux personnel de Puissances et de Dominations. Le seigneur de la sphère inférieure avait commis le crime, parce qu'il ne voulait pas de rivaux, de détourner une partie de la lumière divine destinée aux hommes, provoquant de la sorte leur déchéance dont les initiés — c'est-à-dire les Gnostiques — se devaient de réparer les effets catastrophiques.

Au sommet de l'empyrée céleste veillaient Sabaoth et les génies placés sous ses ordres: Riopha, Souchar, Ouriel, Ariel, Thadama, Siorocha, Suriel, Thabira, Bedhia, Rasousouel, Eptochama, Nouchaël, Apraphea, Einath — Adonis — Dedochta et Chrara, ainsi qu'une armée d'anges. Le mortel connaissant les mots de passe pouvait battre le rappel de ces légions afin qu'elles viennent l'aider dans son combat contre les ténèbres. Les Gnostiques détenaient les formules magiques adéquates et ne les livraient qu'aux meilleurs d'entre eux qui les portaient alors, gravées sur des amulettes et des talismans. Quelques-unes sont encore connues de nos jours, notamment l'Abraxas et l'Abracadabra qui jouaient subtilement sur le symbolisme des lettres.

ADORATEURS DU SERPENT ET SECTES ORGIAQUES

Les Gnostiques célébraient de nombreux rites occultes dont le détail n'est pas parvenu jusqu'à nous. Une secte marginale, celle des « Ophites », adorait le serpent. « A un moment donné on apportait un coffret qui contenait l'animal divin. On l'ouvrait, le serpent en sortait et, après avoir circulé parmi les éléments eucharistiques, s'y enroulait; c'était le moment solennel. Ce culte, ils le justifiaient par certaines exégèses bibliques. D'où leur en est venue l'idée? En première ligne de la Genèse. Ces Gnostiques étaient pénétrés de l'idée que le Dieu de l'Ancien Testament, le créateur, était une divinité subalterne et hostile. Il leur est venu à l'esprit de réhabiliter ses victimes. Ils ont proclamé le serpent, qui induisit le premier couple à manger du fruit de l'arbre de la connaissance, le bienfaiteur des hommes, absolument comme d'autres, sous l'empire des mêmes préventions, ont glorifié un Caïn, un Dathan, un Coré, un Abiram, enfin un Judas. Telle est l'opinion à ce sujet de E. de Faye. C'est une explication; elle n'est pas complète. Le serpent des initiations d'Asie Mineure, le naja aux têtes multiples qui surplombe les figurations des déités asiatiques, l'uraeus royal d'Egypte, se rapportent au même symbolisme de la force mystérieuse de la vie qui, selon l'initiation, « serpente » le long de la colonne vertébrale et dont l'éveil fait partie intégrante des techniques de l'illumination » *(Jean Marquès-Rivière: « Histoire des doctrines ésotériques »).*

D'autres Gnostiques pratiquaient des rites orgiaques. Epiphane, dans son « Panarion », apporte un témoignage sans doute quelque peu exagéré: « Ils accomplissent l'acte voluptueux jusqu'à satisfaction, écrit-il, ils recueillent la semence de leur impureté, l'empêchant de pénétrer plus avant et d'aboutir à une conception, puis ils mangent le fruit de leur honte. Lorsque l'un d'entre eux, par surprise, a laissé la semence pénétrer trop avant et que la femme est enceinte, écoutez ce qu'ils font de plus abominable encore. Ils extirpent l'embryon dès qu'ils peuvent le saisir, ils prennent cet avorton, le pilent dans une sorte de mortier, y mélangent du miel, du poivre et différents condiments, ainsi que des huiles parfumées, pour conjurer le dégoût, puis ils se réunissent — communauté de porcs et de chiens — et chacun communie de ses doigts à cette pâtée d'avorton. »

Les sectes classiques condamnaient avec la dernière énergie aussi bien les Ophites que les licencieux. Jusqu'au IIème siècle de notre ère, elles recrutèrent surtout parmi les intellectuels et les bourgeois austères. Puis elles élargirent peu à peu leur assise tout en la démocratisant. L'Eglise sentit le danger et passa à l'attaque. Elle traqua les hérétiques et détruisit leurs traités. Là où régnait la catholicité, le gnosticisme proprement dit finit par disparaître en tant que force religieuse. Un courant occulte continua cependant de se propager à travers divers milieux et des résurgences, parfois teintées de catharisme, se manifestent encore de nos jours. Mais c'est à la loupe qu'il faut les chercher.

LE CREUSET DE LA KABBALE

La Kabbale hébraïque se présente elle aussi comme un mélange de philosophie, de mysticisme et de magie. Ses origines sont sans doute très anciennes et elle a vraisemblablement subi l'influence des gnoses païennes et chrétiennes. Parmi les premiers kabbalistes il convient de citer Akiba et Simon ben Jochaï qui vécurent au IIème siècle de notre ère.

A partir du Moyen-Age cette doctrine «fut le creuset où vinrent se fondre avec les traditions de toutes les races et de toutes les religions, l'héritage particulier des peuples de l'Occident européen. Il en est résulté un curieux ensemble où les réminiscences antiques, propres à l'Italie et à la Grèce, les traditions pythagoriciennes, véhiculées par les corporations et les métiers, les survivances celtiques dans le traditionalisme de la sorcellerie paysanne et populaire et l'ésotérisme gnostique chrétien ont constitué la magie médiévale. » *(François Ribadeau-Dumas: « Histoire de la magie »).*

L'ouvrage de base de la Kabbale est le Zohar, un traité rédigé en Espagne, au XIIIème siècle, par Moïse de Léon. On y trouve une remarquable analyse des rapports s'établissant entre Dieu et la création. Le Principe (appelé En Sof), inconcevable et infini par définition, restera toujours hors de portée pour l'intelligence humaine. Celle-ci ne peut saisir qu'une réalité au second degré correspondant en quelque sorte à un « sas » de la connaissance. Le niveau où se situe la zone de passage entre le tangible et l'intangible est constitué par les dix Séphiroth participant à la fois de la nature de Dieu et de l'univers sensible, dans ses formes les plus abstraites.

Les Sephiroth se définissent comme des entités spirituelles à travers lesquelles l'homme prend contact avec l'essence de son créateur sans pour autant pénétrer le mystère de l'En Sof. Elles sont assimilables à un arbre symbolique au sommet duquel se trouve la Couronne. Puis viennent l'Intelligence, la Sagesse, la Justice, la Miséricorde, la Beauté, la Gloire, le Triomphe, la Base de la Vie et la Royauté. Ces ramifications sublimes — mais susceptibles d'être appréhendées par le biais de la réflexion métaphysique — ne déterminent cependant aucune hiérarchie stricte. Le haut est semblable au bas et vice versa. Les fluctuations permanentes des Sephiroth s'accordent sans fausse note au processus perpétuellement mouvant de la vie divine.

Selon Henri Serouya, « le Zohar considère la naissance comme une descente de l'âme du jardin supérieur au jardin inférieur de l'Eden, et de là à la terre ». En effet, « toutes les âmes humaines, avant de venir dans ce monde, existaient devant Dieu, dans le ciel, sous la forme qu'elles ont conservée ici-bas et tout ce qu'elles apprennent sur la terre, elles le savaient avant ». Le Zohar ajoute que dans les sphères supérieures, voisines de l'En Sof, « chaque âme se compose d'un homme et d'une femme réunis en un seul être; en s'introduisant dans la chair ces deux moitiés se séparent et vont animer des corps différents. Quand le temps du mariage est arrivé, le Saint, béni soit-il, qui connaît toutes les âmes, les unit comme auparavant, et alors elles forment comme auparavant un seul corps et un seul esprit. »

Ces âmes dont Moïse de Léon nous parle avec la précision d'un entomologiste sont soumises à la loi des réincarnations successives jusqu'à ce qu'elles méritent de revenir siéger définitivement auprès du Très-Haut. « Les hommes ne savent pas comment ils sont jugés dans tous les temps, et avant de venir en ce monde et lorsqu'ils l'ont quitté. Ils ignorent combien de transformations et d'épreuves mystérieuses ils sont obligés de traverser; combien d'âmes et d'esprits viennent en ce monde qui ne retourneront pas dans le Palais du Roi céleste; comment enfin ils subissent des révolutions semblables à celles d'une pierre qu'on lance avec la fronde. Heureuse l'âme qui n'est plus contrainte de redescendre ici-bas pour racheter les fautes commises par l'homme qu'elle y animait. »

Certains kabbalistes modernes vont même plus loin que le Zohar. « Lorsque deux âmes manquent de force pour accomplir, chacune séparément, tous les préceptes de la loi, Dieu les réunit en un même corps et les confond dans une même vie afin qu'elles se complètent l'une par l'autre, comme l'aveugle et le paralytique. Quelquefois c'est une seule de ces deux âmes qui a besoin d'un supplément de vertu et qui vient le chercher dans l'autre, mieux partagée et plus forte. Celle-ci devient alors comme la mère de la première; elle la porte dans son sein et la nourrit de sa substance comme une femme le fruit de ses entrailles. » *(J. Marquès-Rivière: « Histoire des doctrines ésotériques »).*

LES LETTRES ET LES NOMBRES

Influencée vraisemblablement par les Chaldéens, la tradition juive a toujours accordé une grande importance à la mystique des nombres. La Décade, comme nous l'avons déjà souligné, régissait les proportions du Temple de Jérusalem. De même il y eut dix commandements de Dieu transmis à Moïse sur le mont Sinaï. Le sept fut également privilégié. Qu'on se souvienne des sept jours de la création, des sept plaies d'Egypte, des sept vaches maigres, du chandelier à sept branches. Nombre d'élection, le douze, repris par le Nouveau Testament, possédait lui aussi un caractère éminemment sacré: les douze fils de Jacob, ancêtres des douze tribus d'Israël, les douze fruits de l'arbre de Vie, les douze joyaux des prêtres etc.

Combinant la magie des nombres et celle des lettres, les kabbalistes ont tenté, à travers le texte des Ecritures, de percer les mystères de la création. Ils sont partis du principe que les 22 signes de l'alphabet hébraïque et les dix premiers nombres définissaient les « 32 voies merveilleuses de la Sagesse » permettant de décrypter le fondement même de la pensée divine et de s'approcher au plus près de l'En Sof.

L'immense recherche entreprise dans cette direction a abouti à des résultats contradictoires, à des querelles d'écoles et bien entendu à beaucoup de déboires. Paradoxalement c'est à un goy que l'on doit le plus important travail de remise en ordre jamais réalisé. Architecte et urbaniste mondialement connu, il s'appelle Jean-Gaston Bardet. Il a exposé le fruit de ses travaux dans plusieurs ouvrages: « Le trésor secret d'Ishraël », « Mystique et Magie », « Les clefs de la recherche fondamentale ». Des livres difficiles mais rigoureux où l'auteur explique comment il est parvenu à retrouver le secret des « lettres-nombres ».

En accord avec les kabbalistes J.-G. Bardet estime que la langue hébraïque ne reproduit pas « la pensée linéaire des hommes mais qu'elle est le miroir de la parole de Dieu. » Malheureusement au IIIème siècle avant J.C. les Saducéens et les Pharisiens ont perdu la clé des textes saints. Leurs successeurs ne s'en sont pas aperçus et ont continué à tourner en rond.

La première erreur des kabbalistes médiévaux fut

de ne tenir compte que de 22 lettres en oubliant les cinq finales: K, M, N, Ph, Ts dont le Talmud « affirme à tort qu'elles ont été inventées par des enfants en l'absence de leur maître. » La seconde fut l'attribution de chiffres grecs aux lettres hébraïques.

Ayant corrigé le tir, J.-G. Bardet s'est efforcé de restituer à chaque lettre le nombre ordinal que lui attribuaient les anciens hébreux, fidèles à « l'ordre naturel sacré ». Il affirme avoir réussi et si les héritiers de Moïse de Léon ne lui sautent pas au cou c'est parce qu'il soutient, preuves à l'appui, qu'une interprétation kabbalistique cohérente de l'Ancien Testament (le seul codé) exige l'intégration de toutes les données du Nouveau Testament, celui où Jésus-Christ apparaît comme le Messie, le Fils de Dieu fait homme.

En somme si Jean-Gaston Bardet a raison, la Kabbale est un véritable cheval de Troie au coeur du Judaïsme.

IV

C'est un homme venu du froid. Georges Marcolla a vu le jour le 13 janvier 1901 en Sibérie orientale, près de la frontière chinoise. Après des années d'aventures il s'est lancé dans une quête obstinée. Depuis une trentaine d'années il cherche un fabuleux trésor sur le plateau de Valcros, en Provence. Carré, immense, le visage patiné et craquelé comme une vieille toile, il vit son rêve. Dans un autre monde. A deux heures de voiture de la Côte d'Azur.

Pour lui tout a commencé en 1916. Il fouillait dans la bibliothèque de son père, un juge d'instruction originaire de Varsovie qui servait le tsar en fréquentant les milieux libéraux de l'époque.

« Je suis tombé par hasard sur un livre de prières

imprimé en France aux alentours de 1775, raconte Georges Marcolla. Je l'ai ouvert. Une feuille s'est échappée. Je l'ai ramassée... »

Le papier portait quelques lignes écrites en polonais: « Dans les constructions souterraines du château de Val de Croix se trouve le trésor des Templiers. Va et cherche. Le Saint et la Vérité te montreront la voie ».

A cette époque Georges Marcolla s'intéressait surtout aux filles. Il posa cependant des questions à son père qui lui répondit en termes ambigus: « si tu as trouvé ce document c'est le destin qui l'a voulu. Je ne puis ni te pousser, ni te retenir. » Le vieux juge savait sans doute beaucoup de choses au sujet de ce manuscrit. Il préféra se taire.

Deux ans plus tard la révolution russe éclatait. En 1921 la famille Marcolla était rapatriée en Pologne. Une existence tumultueuse commençait pour le plus jeune fils qui venait d'avoir vingt ans et conservait la nostalgie des grands espaces.

Il revient à Moscou, travaille en Hongrie, parcourt les Balkans. Quand les troupes hitlériennes envahissent son pays il sert sous les drapeaux. Combats désespérés. La défaite. Fuite en URSS. Errances. Faim et désillusions. Le 13 décembre 1939, Georges Marcolla se retrouve à Budapest où il se procure un faux passeport. Il traverse la Yougoslavie, l'Italie et arrive en France. Là il endosse à nouveau l'uniforme. Celui de la Légion. Le 13 mai 1940.

«Toujours le 13. C'est le nombre qui régit ma vie.»

Des escarmouches d'arrière garde. Une blessure. Il épouse son infirmière. L'occupation. « Pas d'argent, plus de patrie. Les Allemands partout. Sale époque. » L'heure de la Libération sonne enfin. Il songe à devenir agriculteur. De préférence dans le Midi. Il cherche une terre entre Nice et Digne. Dans un train, il engage la conversation avec des gens du pays qui lui donnent un conseil: «A deux pas de la RN 155, près du hameau du Soleil, il y a le domaine de Valcros. Le fermier est parti. Vous devriez aller y jeter un coup d'oeil. »

Pourquoi pas? Georges Marcolla descend à la gare suivante. Une carte à la main, il finit par trouver la demeure abandonnée. Un corps de bâtiment rectangulaire, flanqué de deux tours trapues. Le coup de foudre.

« Au cours de ma visite, j'entre dans la chapelle, j'y découvre un tableau représentant un mystérieux personnage accoudé sur un lutrin et brandissant un coeur flamboyant. Cette peinture me paraît bizarre, mais sur le moment, je ne lui accorde pas beaucoup d'attention... »

Georges Marcolla et sa femme louent le domaine. Pas cher. Ils se lancent dans l'élevage des chèvres et des moutons. Ça marche.

« J'avais presque oublié ce qui s'était passé autrefois dans la bibliothèque de mon père. Et voilà que j'apprends, en 1948, que sur le rocher surplombant Valcros, s'était élevée jadis une forteresse templière. Je me précipite dans la chapelle pour revoir le tableau. Un mot me saute aux yeux. Un mot peint dans le prolongement du coeur flamboyant: « Véritas! »

Stupeur. Tout se tient. Valcros et le château de Val de Croix ne font qu'un. Le personnage énigmatique c'est le Saint dont parlait le billet. « Véritas » correspond à la phrase: « la Vérité te montrera la voie ».

« Le souffle coupé, je comprends tout d'un coup pourquoi je suis venu ici, au terme d'une longue route semée d'embûches. »

Dès lors, le berger se détourne de ses brebis. Il consacre tout son temps et toute son énergie à une recherche passionnée. Aucun doute ne l'effleure. Il sait ce qu'il lui reste à faire. Georges Marcolla rassemble ses économies, emprunte et achète Valcros. Il commence à creuser avec des moyens de fortune. Seul d'abord. Mais la nouvelle se répand alentour. On dit qu'il se passe des choses étranges sur le plateau. Des volontaires viennent proposer leurs bras. Eux aussi veulent voir. Le trésor du Temple, cela fascine.

Les sondages se multiplient. Des indices apparaissent. Les fouilleurs tombent à sept mètres de profondeur sur des ossements d'animaux qui n'ont pas pu venir là naturellement. Puis ils découvrent des fragments de sculptures.

Surviennent alors ce que Georges Marcolla appelle des avertissements dramatiques, au moment où il pense toucher au but. L'un après l'autre, tous ceux qui travaillent avec lui meurent dans des circonstances troublantes. En tout, une dizaine de personnes. Le propriétaire de Valcros réfléchit. Persuadé que son entreprise se heurte à une opposition occulte, il tire enfin sa conclusion. Il ne doit entretenir aucune relation avec l'extérieur. Cette affaire, c'est la sienne. Pas celle des autres.

« J'irai jusqu'au bout. Je réussirai! »

UNE LEGENDE TENACE

Georges Marcolla est un personnage hors série. Il croit aux signes. Il a raison. Les signes existent. Pourtant, il n'a jamais trouvé le trésor des Templiers. Pour la bonne raison que ce trésor est un mythe. Il suffit d'examiner les faits pour s'en persuader.

Lorsque Philippe le Bel et Nogaret, son âme damnée, organisaient la grande rafle prévue pour le 13 octobre 1307, ils entendaient bien surprendre les chevaliers de l'Ordre. Le roi et ses complices croyaient avoir mis toutes les chances de leur côté. L'opération était officiellement du genre top secret. Il y eut cependant des fuites. Les Templiers, sans constituer un Etat dans l'Etat, représentaient une puissance considérable. Ils possédaient des informateurs en haut lieu. Ceux-ci firent leur travail. Ils alertèrent les dignitaires du mauvais coup qui se tramait contre l'Ordre presque deux fois centenaire.

A travers la France entière, les commandeurs confièrent les documents secrets et les fonds qu'ils détenaient, aux responsables des organisations satellites du Temple (elles étaient nombreuses et discrètes) avec pour mission, de les mettre à l'abri et d'en faire le meilleur usage, le cas échéant. Ce qui se passa effectivement après le désastre.

Il est prouvé, par exemple, que le 12 octobre, un convoi de charrettes chargées de paille quitta le Temple de Paris pour une destination inconnue. Il emportait l'or convoité par le roi et les papiers qu'il convenait de protéger. Mais, s'ils se méfiaient, les patrons de l'Ordre refusaient de s'affoler. Ils savaient que Philippe le Bel avait décidé de s'attaquer à eux. Ils ne considéraient pas pour autant que le Temple fût perdu. Très liés au Saint Siège et possédant de multiples appuis au sein de la noblesse française, les chevaliers au manteau blanc pensaient posséder assez d'atouts pour tenir tête à leur adversaire. Cette certitude explique leur passivité lors du déclenchement de l'opération de police dirigée contre eux. Aux armes ils n'opposèrent pas les armes, eux, les guerriers cousus de cicatrices, parce qu'ils demeuraient convaincus que le roi n'avait pas gagné d'avance. Jugeant que la révolte aurait été une faute politique, ils estimaient que la défense la plus efficace consistait à se maintenir sur le terrain du droit. Comment l'Ordre pouvait-il en effet se douter en 1307 que le Pape, la seule autorité dont il dépendait, serait assez faible pour le lâcher honteusement par la suite?

Autre point important, trop souvent négligé, la richesse du Temple reposait avant tout sur ses biens fonciers, en particulier sur ses vastes propriétés agricoles. Il détenait de l'or. C'est vrai. Mais moins qu'on ne le croit aujourd'hui. Au début du XIVème siècle la masse totale du métal précieux circulant en Europe restait modeste. Elle ne devait prendre une véritable importance qu'à partir de la conquête de l'Amérique.

Dommage pour les légendes!

ILS N'ETAIENT PAS HERETIQUES

Depuis le début du XVIIIème siècle, les imaginations se sont follement excitées sur les Templiers. A force de les monter en épingle, on a fini par les caricaturer. De nos jours, la recherche historique et l'archéologie permettent d'y voir plus clair. Ainsi nous en savons assez pour affirmer qu'ils ne furent pas hérétiques. Les travaux du chanoine P.M. Tonnelier sur les graffiti de la bastide de Domme, dans le Périgord, ont démontré qu'ils vouaient au Christ et à la Vierge, un culte d'une rigoureuse orthodoxie.

Quelques auteurs rétorquent qu'un seul site ne prouve rien et qu'ailleurs, certains membres de l'Ordre pactisèrent notamment avec les Cathares. Cette thèse en vérité est des plus fragiles. Les Albigeois croyaient en l'existence d'un Dieu bon et en celle d'un Dieu mauvais (Satan) lequel était le seul responsable de la création. Celle-ci, par conséquent, ne méritait aucune considération parce qu'elle sentait le soufre. Il fallait donc maltraiter le corps et chercher un hypothétique salut en exerçant une méfiance vigilante à l'égard du monde manifesté. Les Cathares — et cela permet à certains de les créditer d'une idéologie révolutionnaire — voyaient en outre dans le Pape, les féodaux et les soldats, d'authentiques suppôts du Diable.

Or, l'univers des Templiers se trouvait en contradiction radicale avec ces conceptions développées dans le Midi de la France. Papistes convaincus, moineschevaliers ayant pour vocation de se battre au nom du Seigneur, liés au système politico-militaire de la féodalité, ils se situèrent toujours dans la ligne fixée par Saint Bernard de Clairvaux, l'étonnant Cistercien qui fut le fondateur de leur Ordre.

Saint Bernard, sa vie durant, n'eut qu'une passion : l'Eglise. Celle d'en haut et celle d'en bas, reflet de la première. Pour lui, « de même qu'Eve sortit d'Adam, l'Eglise provenait du flanc du Christ — nouvel Adam — dont le côté fut transpercé sur la croix. Ainsi l'Eglise était-elle comme l'os de l'os, la chair de la chair, l'épouse du Christ; elle formait un corps dont le Christ était la tête » *(M-M. Davy: « Introduction à la symbolique romane »).*

Reste la question des contacts que des représentants de l'Ordre ont pu prendre au Moyen-Orient avec des sectes variées, dont l'influence se faisait sentir dans un milieu composite où se brassaient chrétiens, juifs et musulmans. Il existait, en particulier, en Palestine une église Johannite vouant un culte à la fois à Saint Jean-Baptiste, précurseur de Jésus, et à Saint Jean l'Evangéliste. Elle voyait, dans le second, le chef de l'Eglise authentique et affirmait que Saint Pierre, comme ses successeurs sur le trône de Rome, n'avaient jamais représenté qu'un courant sans grand intérêt, destiné aux masses incultes. Les Templiers ont certainement eu connaissance de cette doctrine. Toute leur histoire, cependant, démontre qu'elle ne les influença pas.

Rien n'interdit de penser, en revanche, qu'ils se sentirent plus proches des Ismaéliens, les fameux « Assassins » dont le père spirituel fut Hassan Ibn Sabbah, plus connu sous son surnom de « Vieux de la Montagne ». Cet Ordre de chevalerie, se rattachant à la tradition de Zarathoustra, présentait bien des points communs avec le Temple. Comme lui, il nourrissait un grand dessein. Mais ce n'était pas le même. Si, de part et d'autre de la barricade, les hommes pouvaient s'estimer, leurs voies ne se recoupaient pas.

En conclusion, malgré certaines tentations qu'ils eurent à subir, les Templiers demeurèrent la milice sans défaut d'une chrétienté exigeante.

NEUF CHEVALIERS DISCRETS

Une milice mystérieuse dont les origines donnent à réfléchir. En 1118, neuf chevaliers Francs partent brusquement pour Jérusalem. Ils s'appellent Hughes de Payns, Hughes Ier Comte de Champagne, André de Montbard (oncle de Bernard de Clairvaux), Geoffroy de Saint-Omer, André de Gondemare, Roffal, Payen de Montdidier, Godefroy Bissor et Archambault de Saint-Aignan.

Leur mission officielle consiste à assurer la police des Lieux Saints, à protéger les pélerins contre les attaques des Sarrasins et des brigands. Une tâche impossible pour neuf hommes, même s'ils sont des baroudeurs confirmés. En réalité, cette petite phalange s'est fait signer un beau parchemin destiné à lui servir de couverture mais elle n'est pas venue en Palestine pour jouer les G-Men.

Quand Hughes de Payns et ses compagnons débarquent, le roi de Jérusalem leur donne quelques subsides et les fait héberger sur l'emplacement de l'ancien Temple de Salomon. Puis on n'entend plus parler d'eux. Soudain, en 1127, ils rentrent en Europe sans faire la moindre déclaration et les choses se précipitent. Le Concile de Troyes se réunit le 14 janvier 1128. Il adopte, tambour battant, la Règle préparée par Saint Bernard. A peine né officiellement, l'Ordre bénéficie de l'appui total du Pape, reçoit des dons extrêmement importants. La fine fleur de la noblesse s'engage dans ses rangs.

Que s'est-il passé à Jérusalem?

C'est cela le grand mystère Templier. Il n'existe aucun document permettant de le percer. Nombre d'hypothèses ont été formulées. Une seule, à mon avis, mérite d'être retenue. Les neuf chevaliers avaient été envoyés en Terre Sainte par Saint Bernard afin d'aller y chercher une véritable investiture divine devant permettre de lancer la chrétienté dans une fantastique aventure. Ils reçurent le signe attendu et c'est pour cette raison que l'Ordre du Temple fut créé.

Quel signe?

Nul ne le sait. Nous quittons ici le domaine de l'histoire pour entrer dans les jardins secrets de la magie mystique.

LA REGLE DU TEMPLE

Bernard de Clairvaux donna à l'Ordre une Règle dure, exigeant le détachement total à l'égard des biens de ce monde, un courage sans faille à la guerre, une Foi à toute épreuve. Dans ses « Laudes à la Milice Nouvelle », il écrivait en 1130: « Une nouvelle chevalerie est née sur la terre de l'Incarnation. Elle est neuve, dis-je, et pas encore éprouvée là où elle mène le combat contre les adversaires de chair et de sang, tantôt contre l'esprit du Mal dans les cieux.

« Que nos chevaliers résistent par la force à des ennemis corporels, je ne juge pas cela merveilleux, car je ne l'estime pas rare, mais qu'ils mènent la guerre contre les forces de l'esprit du mal, contre les vices et les démons je l'appellerai non seulement merveilleux, mais digne de toutes les louanges accordées aux religieux. »

Les Templiers, ce texte le prouve, devaient vivre et agir sur deux plans: la lutte armée et l'affermissement spirituel. Soldats et moines à la fois. Les 72 articles de leur Règle reflètent cette double vocation lorsqu'ils précisent le mode de recrutement, les devoirs au combat, les exigences religieuses, le mode d'élection du Grand Maître etc.

L'Ordre comprenait des chevaliers laïcs, des chapelains ne relevant que du Pape, des frères sergents (hommes libres, mais roturiers), des frères artisans et des turcopoles, c'est-à-dire des supplétifs recrutés parmi les Sarrasins. Au sommet de la hiérarchie, se trouvait le Grand Maître. Venaient ensuite le Sénéchal (adjoint direct du Grand Maître); le Maréchal, responsable des opérations militaires; les commandeurs, chefs d'une forteresse ou d'un établissement important; le Drapier, chef de l'intendance. Ces dignitaires constituaient le Chapitre, représentant l'autorité suprême de l'Ordre.

Tout Templier faisait les trois voeux d'obéissance, de pauvreté et de chasteté. Il s'engageait à entendre la messe tous les jours, « à se saoûler du corps du Seigneur, à se repaître des commandements du Sauveur et à se tenir prêt après le service divin à aller en bataille et prêt au martyre. »

Au départ, rien ne destinait l'Ordre à devenir une sorte de banque. Ce n'est qu'après la deuxième Croisade que le Pape lui donna le droit de percevoir des impôts locaux et l'autorisa à organiser, entre l'Europe et le Moyen-Orient, un office de change au service des pélerins. « Grâce à son implantation internationale, ceux qui partaient vers la Terre Sainte, au lieu d'encourir les risques dangereux d'un transfert de fonds, faisaient en Occident un dépôt dans une maison du Temple et touchaient la somme équivalente en Palestine sur la présentation d'un reçu.

« Cette fonction financière devait amener l'Ordre à jouer un rôle proprement bancaire, comme dépositaire de ressources importantes et bien gérées, d'abord en faisant — sous garantie — des avances à certains de ceux qui voulaient aller en Palestine, puis en accordant des prêts aux rois. » *(Albert Ollivier: « Les Templiers »).*

Paradoxalement, c'est leur dédain de l'argent qui valut aux Templiers de devenir les administrateurs avisés de la fortune des autres. La cause qu'ils servaient en profita, puisque la guerre coûte toujours cher, mais ils ne s'intéressèrent jamais au profit. Quant à l'usure, elle leur était interdite par l'Eglise.

DES EMBLEMES SIGNIFICATIFS

La Règle ne fournissant aucune information sur ce point, il faut interroger les emblèmes de l'Ordre pour tenter de savoir si celui-ci nourrissait une doctrine occulte.

Son étendard — le Beaucens — se présentait sous l'aspect d'un damier, formé de carrés noirs et blancs, sur lequel s'inscrivait la fameuse croix rouge à quatre branches égales. Il portait en outre la devise du Temple: « non nobis Domine sed nomini tuo da gloriam » (Rien pour nous Seigneur, mais tout pour la gloire de ton nom.)

Essayons de décrypter cette bannière. Traditionnellement, le damier « symbolise les forces contraires s'opposant jusque dans la constitution de la personne et de la matière ». Il détermine le lieu d'un affrontement. En ce sens, le Beaucens confirme la vocation initiale des Templiers appelés à lutter contre les ennemis temporels et aussi contre les forces du mal. Il convient toutefois d'aller plus loin. Le noir, le blanc et le rouge s'affirment comme les couleurs fondamentales du Grand Oeuvre alchimique. Cela ne signifie certes pas que les soldats de l'Ordre passaient leur temps à pratiquer l'Art Royal. En revanche, il n'est sûrement pas aventureux de penser qu'ils entendaient

SCEAUX TEMPLIERS

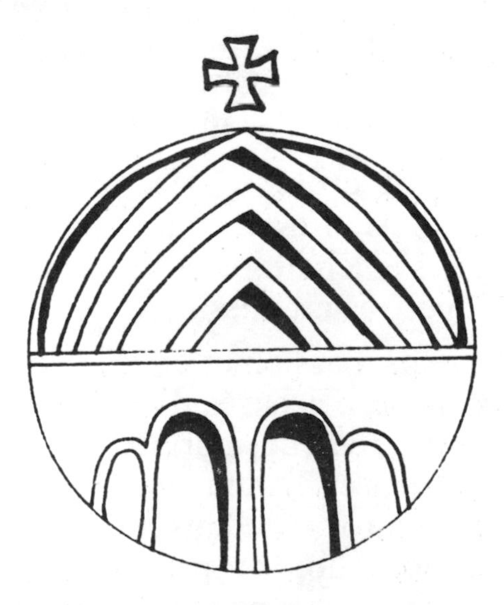

se définir, au même titre que les Adeptes, comme les collaborateurs de Dieu dans le mystérieux processus de la rédemption du monde créé. Une telle conception est rigoureusement conforme à la pensée de Bernard de Clairvaux pour qui l'homme, participant à la fois de l'esprit et de la matière, doit tendre de toutes ses forces vers le recouvrement de la ressemblance à Dieu. Une ressemblance perdue depuis le péché originel. Considérée sous cet angle, l'aventure templière présente une analogie frappante avec l'ésotérisme de la Quête du Graal. Des guerriers tuent et meurent en vue d'un rachat dont profiteront même les passifs, ceux qui restent assis à l'ombre.

L'un des sceaux de l'Ordre confirme et développe le symbolisme du Beaucens. Il représente deux chevaliers sur une seule monture. On a voulu y voir une image de la pauvreté des soldats du Christ qui n'auraient pas eu les moyens de se payer un cheval par combattant. Un peu court comme explication! Le sceau rappelle plutôt le thème zodiacal des Gémeaux qui souligne, d'une part, la lutte que l'homme doit livrer afin de surmonter ses oppositions intérieures et annonce, d'autre part, l'épanouissement de la plus belle saison, autrement dit toute la splendeur d'un nouvel état de l'univers. Une promesse flotte dans l'air. Nous saurons bientôt laquelle.

Dans un autre ordre d'idée, les deux cavaliers paraissent faire allusion à la double nature de l'Ordre dont une partie s'affichait ostensiblement tandis que l'autre, initiatique, restait dissimulée.

Le problème du Baphomet enfin. Au cours du procès, il fut reproché aux accusés d'avoir adoré une idole moitié mâle, moitié femelle, portant ce nom évocateur de diableries douteuses. Aucune effigie du Baphomet n'a toutefois été retrouvée dans un établissement du Temple. Serions-nous alors en présence d'une invention pure et simple de juges peu scrupuleux? Probablement pas. Plusieurs chercheurs, dont John Charpentier, ont admis que le terme provenait d'une contraction de BAP(tiste) et de (Ma)HOMET, scellant ainsi une énigmatique alliance, à travers le précurseur de Jésus et le prophète du Coran, entre les chevaliers chrétiens et leurs adversaires musulmans.

La collusion avec l'ennemi étant exclue au plan militaire, il est vraisemblable d'admettre que les Templiers ont reconnu, dans l'Islam, une religion issue de la même tradition que la leur. Contraints, pour des raisons politiques, de les combattre, les soldats de l'Ordre ont voulu signifier qu'ils se sentaient spirituellement proches des Mahométans, Du même coup ils renouvelaient implicitement la condamnation du Judaïsme dont la faute, impardonnable à leurs yeux, était de refuser la loi du Nouveau Testament. Et ceci nous amène droit au coeur de la doctrine templière.

LE SECOND MESSIE

Si les Juifs attendaient toujours le Messie, l'Ordre en espérait un second. Celui qui aiderait les hommes à réaliser sur terre cette Cité de Dieu obsédant Bernard de Clairvaux. Avec le Cistercien inspiré, les moines-combattants avaient appris à lire les Ecritures. Deux textes s'imposaient à eux. Le premier figure dans les Actes des Apôtres. Il dit ceci: « Jésus fut enlevé pendant que ses disciples le regardaient, et une nuée le déroba à leurs yeux. Alors que Jésus s'en allait et tandis qu'ils avaient les regards tournés vers le ciel, deux hommes vêtus de blanc leur apparurent et dirent: « Hommes de Galilée, pourquoi vous arrêtez-vous à regarder le ciel? Ce Jésus qui, du milieu de vous, a été enlevé dans le ciel, en reviendra de la même manière que vous l'y avez vu monter » (I 9-II).

Quelques lignes dans l'Evangile de Jean éclairent ce passage. Au moment de l'Ascension, Jésus déclare:

« Le Consolateur, l'Esprit Saint, que le Père enverra en mon nom, vous enseignera toutes choses et vous rappellera tout ce que je vous ai dit. » (XIV 25-26).

Le signe que Hughes de Payns et ses huit compagnons étaient venus chercher à Jérusalem, concernait très probablement l'annonce de la venue prochaine de ce Consolateur: le Paraclet. Les Templiers, en tout cas, furent persuadés que leur mission consistait à ouvrir la route au nouvel envoyé de Dieu. S'ils se sont toujours montrés officiellement discrets sur les buts profonds de leur action, d'autres — qui appartenaient sans nul doute aux structures parallèles de l'Ordre — ont parlé à leur place. Dans le courant du XIIème siècle, le projet paraclétique s'est imposé, en effet, avec une vigueur étonnante dans toute la chrétienté et par la suite, son abandon devait coïncider avec la disparition du Temple.

L'un des premiers à le proclamer avec une résolution farouche, fut le Cistercien italien Joachim de Fiore (1132-1202) qui ne cessa de fulminer contre la décadence d'une Eglise indigne de recevoir Celui qui allait descendre sur terre. A l'autre bout de la chaîne Dante apparaît comme l'ultime prophète du Consolateur. Dans le chant un de l'Enfer, deux strophes ayant fait l'objet de nombreuses exégèses, contiennent une allusion à peine voilée à l'irruption de l'Esprit Saint dans l'histoire. C'est la fameuse image du Lévrier, antithèse du Démon, « qui ne se repaîtra ni d'argent, ni de terres, mais de vertu et de sagesse. »

Dante, on le sait, appartenait à une fraternité occulte, les « Fidèles d'Amour », qui défendait la doctrine du second Messie et dont il est permis de penser qu'elle fut d'obédience templière. L'auteur de la « Divine Comédie » pour sa part, ne dissimule nullement sa hargne contre les responsables de la chute de l'Ordre. Ecrit en 1312, le « Purgatoire » condamne sans pitié le roi Philippe le Bel et le Pape Clément V.

LES NOUVEAUX JUIFS

Se considérant comme chargés de préparer le terrain en fonction de l'arrivée imminente du Paraclet, le Temple et ses organismes satellites représentaient en quelque sorte une communauté d'élus. Pendant près de deux cents ans, ils ont incarné ce que l'on pourrait appeler les « Nouveaux Juifs ». Leur désir de récupérer totalement l'héritage de l'Ancien Testament transparaît notamment dans les Romans de la Table Ronde.

Chrétien de Troyes, note Marion Melville, portait l'empreinte de l'Ordre dont il fut un agent de propagande efficace. De même quand Wolfram Von Eschenbach reprit le thème de Perceval, il ne dissimula nullement ses attaches templières. Or, il est remarquable de constater que toutes les aventures des chevaliers partis en quête du Graal s'insèrent dans une perspective biblique. Les preux du roi Arthur sont les continuateurs privilégiés de l'épopée des Hébreux. Les meilleurs d'entre eux s'inscrivent même dans le lignage direct des plus grands souverains juifs.

La nef tournoyante, portant l'épée de David destinée au seul Galaad, a été construite sur les instructions de Salomon (bâtisseur du Temple de Jérusalem) et avec des matériaux remontant à l'époque d'Abel et de Caïn. Par sa mère, Lancelot du Lac descend du roi David et c'est Lancelot qui engendrera Galaad, le missionné de Dieu, celui qui méritera de devenir le gardien du Graal, ce vase sacré où Joseph d'Arimathie avait recueilli le sang du Christ s'écoulant du flanc transpercé par la lance du centurion Longin. Nascien, l'un des compagnons de la Table Ronde, compte parmi ses aïeux le grand Salomon qui « devina la venue de la glorieuse Vierge Marie. »

Inutile de multiplier les exemples. L'immense récit révèle le souci constant de lier intimement la légende du Graal à l'histoire d'Israël. Ceci nous permet de mieux cerner l'idée que les Templiers se faisaient d'eux-mêmes et de leur rôle. Ils reprenaient à leur compte tout le passé du peuple juif dont les héritiers s'étaient fourvoyés dans une impasse. Les chevaliers messianiques entendaient effacer l'erreur judaïque en vue de sceller une nouvelle alliance avec l'envoyé du Très Haut.

Afin que le Paraclet pût descendre sur cette terre, il convenait de la remettre en ordre. Puissance synarchique possédant une totale indépendance temporelle, le Temple s'est voué à cette tâche. Il a échoué. Le Consolateur n'est pas venu. Une légende demeure.

LE DERNIER BUCHER

Au début de l'année 1314, Philippe le Bel, roi de France, ne songeait qu'au dernier acte. Deux ans plus tôt, le Concile de Vienne avait décrété l'abolition de l'Ordre fondé par Bernard de Clairvaux. Les encombrants moines-soldats ne faisaient plus parler d'eux. Bon nombre étaient morts dans les flammes, d'autres croupissaient en prison, quelques centaines d'entre eux avaient disparu sans laisser de trace. Restaient les grands dignitaires, Jacques de Molay, XXIIème Grand Maître; Hughes de Payraud, Visiteur de France, Geoffroi de Charnay et Geoffroi de Gonneville, respectivement précepteurs de Normandie et d'Aquitaine, à qui les bourreaux étaient parvenus à arracher tous les aveux possibles et imaginables. Les quatre hommes se trouvaient au bout du rouleau, à force de reniements et de mauvais traitements. Philippe le Bel n'envisageait pas de les libérer. Il entendait au contraire les faire traduire devant une juridiction ecclésiastique. Pour cela, il pressait le Pape de se décider. Clément V tergiversait. Philippe s'impatientait.

Le monarque finit cependant par obtenir ce qu'il désirait. A l'issue d'une procédure bâclée, le verdict tomba: la détention perpétuelle. Le 18 mars 1314 Jacques de Molay et ses compagnons furent conduits devant le roi, à l'occasion d'une cérémonie publique organisée sur le parvis de Notre-Dame de Paris. Il s'agissait de leur signifier solennellement la sentence. Dès qu'ils connurent leur sort, le Grand Maître et Geoffroi de Charnay, dans un ultime sursaut, revinrent sur leurs aveux et se mirent à proclamer l'innocence de l'Ordre. Stupeur! On croyait les Templiers matés et voici qu'ils provoquaient encore le scandale par la bouche de leurs anciens chefs.

Philippe le Bel décida sur le champ d'envoyer à la mort les deux rebelles. On dressa un bûcher au lieu-dit l'Ile aux Juifs. Jacques de Molay et Geoffroi de Charnay marchèrent au supplice d'un pas ferme. Au moment où le brasier commençait à crépiter, rapporte la tradition, le Grand Maître, presque étouffé de fumée, lança sa fameuse malédicition, citant le roi et le Pape à comparaître à bref délai devant le tribunal de Dieu.

De fait, Clément V mourut le 20 avril suivant et Philippe le Bel au mois de novembre. Vengeance de l'Invisible? Simple coïncidence? Qui pourrait le dire.

ADIEU LES DIEUX

I

Pourquoi les bateaux ont-ils des cornes?

Cette question paraphrasant les paroles d'une chanson enfantine n'a rien de farfelu. Elle s'est posée à de très sérieux chercheurs qui, au terme d'une enquête à la fois archéologique et ethnographique, sont parvenus à apporter des éléments de réponse satisfaisants.

Tout a commencé en 1960 avec la découverte, par 40 mètres de fond, au large de Monaco, d'une énigmatique corne en plomb coulée dans une vraie corne de boeuf, comme en témoignaient les nervures de sa surface. Des clous, presque tous conservés en place, la traversaient de part en part et leur disposition indiquait que le vestige avait été fixé jadis sur un support cylindrique. Probablement un mât, une vergue ou un espar rond.

A l'époque, les archéologues ne connaissaient qu'un seul exemplaire semblable qui provenait d'Italie. Cette rareté des témoignages incitait à la prudence. Mais au fil des mois, entre le Gard et la Toscane, quatre spécimens supplémentaires furent les uns après les autres ramenés à la surface. Une série s'amorçait. Les spécialistes purent enfin admettre sans excès de témérité qu'ils se trouvaient en présence d'un type de décor courant sur les navires antiques. Cela constituait un premier pas en avant. Encore fallait-il préciser la signification de ces objets peu ordinaires.

Une piste s'offrait. Toute proche et facile à suivre. De nos jours, en effet, les pêcheurs méditerranéens, à Sète, à Marseille, à Naples et sans doute ailleurs (le recensement est loin d'être achevé) fixent volontiers une corne ou une paire de cornes, soit en haut de la mâture, soit sur le roof de leurs chalutiers ou de leurs barques. Et quand on interroge les patrons, ils répondent assez vaguement que « si ça ne fait pas de bien, ça ne peut pas faire de mal. »

Autre fait extrêmement curieux, sur de petits bateaux mouillés dans les ports du Midi de la France, des cornes figurées sont également reconnaissables dans des ornements appliqués de chaque côté de la pièce de bois qui prolonge verticalement la quille à l'avant. Placées le plus souvent pointes en haut, quelquefois inversées, elles n'ont, selon les marins, aucun rôle pratique.

Pourtant elles sont là. « A la même place depuis toujours » disent les vieux charpentiers qui les découpent et les polissent fidèlement sans trop savoir pourquoi.

Qu'ils soient naturels, ou réduits, par une sculpture maladroite, à leur plus simple expression, ces décors semblent bien nous ramener, à travers un cheminement complexe, aux marins antiques qui, en héritiers des navigateurs préhistoriques, accordaient aux cornes des vertus protectrices. Ceci en fonction d'un symbolisme fort élaboré dont nous pouvons tenter de déchiffrer le sens. Du moins partiellement.

DIEUX DES TEMPETES

Dieu du ciel, Zeus était aussi dieu de la Fécondité et dieu de l'Orage. Il disposait de la foudre et régnait sur les forces cosmiques. Mais au plan mythique et rituel, il était aussi lié au taureau, lui-même dédié à Poséidon, divinité des Océans et des tempêtes. C'est sous la forme d'un taureau que Zeus enleva Europe, s'unit à Antiope et tenta de violer sa soeur Démèter.

Quelques symboles très largement répandus dans l'espace et dans le temps.

1. *L'étoile à cinq branches (pentagramme).*
2. *L'étoile à six branches (hexagramme).*
3. *L'étoile à huit branches.*
4. *La roue hélicoïdale figurant un soleil tournoyant.*
5. *L'étoile à six rais.*
6. *La rouelle.*

7. et 8. Swastikas (croix gammées) à branches droites et courbes.

En Crète enfin Zeus porta très tôt le surnom de « Grand Bovidé ».

Or, c'est au maître de l'Olympe que les Argonautes s'adressent quand leur nef mise à mal par la foudre se trouve sur le point de sombrer. Zeus, compatissant, leur envoie alors ses deux fils jumeaux, les Dioscures, qui, se manifestant sous l'aspect d'une double aigrette lumineuse pareille à « deux cornes de feu », interviennent avec promptitude pour calmer les éléments déchaînés. Dans la mythologie des grecs anciens, les Dioscures exercèrent toujours une action bienfaisante. Non seulement ils protégeaient les navigateurs, mais ils étaient aussi guérisseurs. Beaucoup plus tard, le transfert d'une partie de leurs pouvoirs paraît s'être effectué en direction de Saint-Elme, patron des calfats et des marins de la Méditerranée. C'est ainsi qu'au Moyen-Age, on verra, dans les heures de grand péril, des équipages terrifiés, tomber à genoux pour implorer le Seigneur de leur envoyer le feu Saint-Elme, cette lumière annonciatrice de l'apaisement des cieux.

Rien ne prouve évidemment l'existence d'un lien direct entre les Dioscures et l'évêque de Formia martyrisé au début du IVème siècle. Il n'empêche que le phénomène de la double aigrette — intervenant au plus fort de l'orage et précédant de ce fait l'accalmie — fut considéré à travers les temps comme la manifestation d'une bonne volonté divine.

Cette approche, il faut bien le reconnaître, ne permet pas cependant d'expliquer pourquoi les cinq cornes découvertes dans différentes épaves du littoral ligure étaient en plomb. A force de tourner autour de la question, une archéologue, Danièle Mouchot, a fini par proposer une séduisante hypothèse. Les navigateurs antiques auraient tout simplement imaginé de forcer la main de Zeus en essayant de provoquer artificiellement l'apparition du feu de Saint-Elme (ou feu des Dioscures, comme l'on voudra).

Ces lueurs bleuâtres, dues à des décharges électriques, se produisent de préférence sur du métal et plus facilement sur une pointe. Dans ces conditions, l'idée a pu naître très tôt de fixer au sommet du mât ou à chacune des extrémités de la vergue, des sortes d'antennes destinées à capter le signe annonciateur de l'intervention céleste. Le recours à la corne en plomb se justifierait alors par le désir de conjuguer les propriétés du métal et les vertus bénéfiques d'un emblème à caractère symbolique.

Bien qu'elle ne repose sur aucune preuve formelle, cette interprétation cerne sans doute d'assez près la réalité puisqu'elle situe, en définitive, le problème dans le champ de « l'art des foudres » où les Etrusques s'illustrèrent avant d'être imités par les Romains. Un art qui utilisait toutes les ressources de la divination et de la magie (sans oublier certaines recettes d'ordre pratique) afin d'établir une communication entre les hommes et les dieux.

Cette histoire de cornes de bateaux met remarquablement en évidence le fait que les symboles, dans les sociétés traditionnelles, ont toujours été considérés comme des signes agissants, des catalyseurs d'énergie. Elle montre également l'état de dégradation dans lequel se trouve aujourd'hui la pensée symbolique. Les marins qui clouent encore des bucranes sur leurs embarcations ont oublié le sens profond de leur geste. Ce n'est pas de leur faute. Rares sont ceux qui savent, à notre époque, parler le langage de l'Invisible. Le processus de dégradation ayant conduit les hommes occidentaux à oublier les leçons du passé s'est amorcé il y a longtemps. Quatre siècles environ. A peine était-il engagé, que deux phénomènes révélateurs apparaissaient: la chasse aux sorcières et l'essor du mythe fou de l'Atlantide.

LA CHASSE AUX SORCIERES

Contrairement à une opinion largement répandue, le Moyen-Age ne fut pas la grande époque de la sorcellerie. Amorcée à la fin du XVème siècle, la vague de répression atteignit son paroxysme au XVIème et au XVIIème dans une société où les classes dominantes entendaient affirmer la supériorité de leur culture face au peuple vivant comme en exil sur une autre planète. Raidis dans leurs certitudes, les représentants de l'ordre établi n'accordaient à personne le droit à la différence.

Lors des procès, les déclarations des accusés, obtenues sous la torture, reflétaient d'abord les phantasmes des procureurs. Toutes se ressemblaient parce que tous les magistrats de ce temps étaient taillés dans le même bois. Prisonniers de leur névrose, ils demeuraient inaccessibles à la logique. Michelet rapporte qu'une femme de Wurtzbourg avait avoué l'enlèvement, au cimetière, du corps d'un enfant pour en user dans des combinaisons magiques. Son mari ayant suggéré d'ouvrir la tombe, le tribunal accepta et l'on retrouva le cadavre dans sa bière. Les juges «décidèrent, contre le témoignage de leurs yeux que c'était une apparence du Diable. Ils préférèrent l'aveu de la femme au fait lui-même. Elle fut brûlée. »

Quelques voix s'élevèrent contre de tels procédés. Notamment celle d'un légiste de Constance, Molitor, qui dit « cette chose de bon sens qu'on ne pouvait prendre au sérieux les confessions des sorcières, puisqu'en elles, celui qui parlait, c'était justement le père du mensonge. » Peine perdue. La folie continua.

Les inquisiteurs vouaient une haine tenace au sexe et faisaient systématiquement du Diable le dieu des pauvres. Le conseiller de Lancre, du Parlement de Bordeaux, sévit en 1609 au Labourd, dans la région de Bayonne. Dans son « Tableau de l'inconstance des mauvais anges et des démons », il écrivit à propos du bal des maudits: « Les femmes y figurent nues et échevelées. Leurs activités consistent à danser impudiquement, festiner ardemment, s'accoupler diaboliquement, se venger insidieusement, sodomiser exécrablement, blasphémer scandaleusement, courir après tous les vices, horribles, sales et dénaturés brutalement, tenir les crapauds, les vipères, les lézards et toutes sortes de poissons précieusement, aimer un bouc ardemment, le caresser amoureusement, s'accointer et s'accoupler avec lui horriblement et impudement. »

De Lancre se passionnait pour le phallus du Diable. Reprenant avec délices les descriptions fournies par ses victimes qui, sur le chevalet, racontaient n'importe quoi, il a livré à la postérité nombre de détails ahurissants:

Jeannette d'Abadie: « Le membre du démon étant fait à écailles comme un poisson, elles se resserrent en entrant et se lèvent et piquent en sortant. Ce membre très long se tient entortillé et sinueux en forme de serpent. »

Marguerite de Sare: « Il a toujours un membre de mulet ayant choisi en imitation celui de cet animal comme le mieux pourvu: il l'a long et gros comme le bras et toujours dehors. »

Marie de Marignane: « Il semble que ce mauvais démon ait son membre moitié de fer, moitié de chair, tout de son long et même les génitoires. » etc.

Cinq cents personnes environ furent envoyées au bûcher par de Lancre. Surtout des jeunes filles et des enfants. L'une des malheureuses mourut ainsi à 19 ans parce qu'elle « avait vu qu'après le sabbat, toute l'assemblée s'en allait au cimetière de Saint-Jean-de-Luz faire baptiser des crapauds, lesquels étaient habillés de velours rouge et parfois de velours noir, une sonnette au col et une autre aux pieds, avec un parrain qui tenait la tête dudit crapaud, et une marraine qui le tenait par les pieds, comme on fait aux créatures dans l'église. »

Le conseiller au Parlement de Bordeaux détestait ces batraciens à pustules qui, comme chacun le sait, cachent dans leur crâne une pierre permettant d'obtenir le bonheur ici-bas. Un jour, soutient-il, il en vit une nuée sortir par les yeux d'une sorcière qu'on exécutait à petit feu. « Le peuple se rua sur eux à coups de cailloux, si bien que la femme fut plus lapidée que brûlée. Mais avec tout cet assaut, ils ne vinrent pas à bout d'un crapaud noir, qui échappa aux flammes, aux bâtons, aux pierres, et se sauva, comme un démon qu'il était, là où on ne sut jamais le trouver. »

Le « Malleus maleficarum » de Henry Institoris et Jacques Sprenger, régulièrement réédité de 1486 à 1669, servit de bréviaire à des générations de juges forcenés. Il annonçait franchement la couleur: « toutes choses de sorcellerie proviennent de la passion charnelle qui est, chez les femmes, insatiable. Comme le dit le livre des Proverbes: il y a trois choses insatiables qui ne disent jamais « assez »: le sein stérile, la terre que l'eau ne peut rassasier, le feu qui ne dit jamais assez. Pour nous aussi: les lèvres du sein. D'où pour satisfaire leurs passions, elles folâtrent avec le Diable. On pourrait en dire davantage mais, pour qui est intelligent, il apparaît assez qu'il n'y a rien d'étonnant à ce que, parmi les sorciers, il y ait plus de femmes que d'hommes. Béni soit le Très-Haut qui, jusqu'à présent, préserve le sexe mâle d'un pareil fléau: lui en effet qui en ce sexe a voulu naître et souffrir, lui a aussi accordé le privilège de cette exemption. »

Amen!

DEBAUCHES ET PARADIS ARTIFICIELS

La chasse aux sorcières fut un drame affreux révélant la profonde décadence d'un monde totalement égaré dans le labyrinthe de l'Invisible. Parce qu'ils se sont beaucoup racontés, nous savons tout sur les juges qui menèrent la danse. Et leurs victimes?

Parmi la foule des sacrifiés, il y eut une majorité de gens (des femmes et, en proportion moindre des hommes) qui n'avaient rien à se reprocher. A l'époque une simple dénonciation calomnieuse tuait aussi sûrement qu'une décharge d'arquebuse. On peut compter aussi nombre de marginaux. Jules Michelet le souligne: sentaient le fagot tous ceux qui pensaient mal. Montèrent également sur le bûcher des hystériques qui se croyaient possédées par le Malin, des envoûteurs, des magiciens noirs à la petite semaine comme il en existe encore, des tireuses de cartes, enfin des détraqués et des dépravés.

Ces derniers formaient la clientèle du sabbat. Si l'on ne peut accepter la version que les inquisiteurs offrent des rassemblements diaboliques, il est certain en revanche que de véritables bacchanales, vagues réminiscences de rites païens déformés, se sont effectivement déroulées en maints endroits. Le maître des cérémonies (que prenaient peut-être pour Satan en personne ceux qui aimaient se faire peur) simulait vraisemblablement de formidables prouesses sexuelles en recourant à un godemiché. Au XVIème siècle, les dames du meilleur monde usaient volontiers, dans leurs ébats, de cet instrument par définition inlassable. Pourquoi les amateurs d'orgies populaires n'en auraient-ils pas fait autant?

Aux artifices érotiques s'ajoutait un usage intensif de drogues diverses procurant des visions et l'indispensable sensation de vol. Dans la préparation des onguents et des potions, entraient en particulier le datura, la belladone, l'aconit, des alcools forts et pour corser le cocktail, des araignées, des scorpions, de la peau de serpent, du sang menstruel, des ossements humains pilés, des fragments d'ongles etc.

Selon Roland Villeneuve, « toxicomanes, les sorciers cherchaient à susciter des adeptes. Leurs philtres créateurs de rêves et de sensations voluptueuses, leur en amenaient certainement. Ils formaient ainsi des groupes de drogués, insatisfaits de l'existence quotidienne, curieux, disponibles et soucieux d'évasion. » *(« Sabbat et sortilèges »).*

Née au temps de la Renaissance, la hantise de la sorcellerie s'est estompée depuis deux siècles environ. Datant de la même époque, les élucubrations sur l'Atlantide poursuivent par contre une carrière triomphale. Si elles sont aussi aberrantes que les considérations du conseiller de Lancre elles ne font, fort heureusement, de mal à personne.

C'est un espagnol du nom de Gomora qui fut le premier en 1553 à vouloir prouver que l'île évoquée par Platon ne correspondait pas à une simple utopie allégorique. D'autres lui emboîtèrent le pas aussitôt et depuis, une multitude de théories contradictoires ont situé l'Atlantide — considérée comme la terre d'élection de l'Age d'Or — en Amérique, du côté des Açores, en Suède, au Maroc, en Palestine, en Afrique, à l'embouchure du Guadalquivir etc. L'excellent colonel Churchward a même inventé une seconde civilisation fantôme, celle de Mû, qui aurait fleuri dans le Pacifique avant d'être engloutie.

Dans cet incroyable concert d'hypothèses gratuites, les occultistes s'en sont donné à coeur joie. L'un d'eux, Rudolf Steiner, affirme que les Atlantes avaient domestiqué la force vitale. « De même que nous savons aujourd'hui faire jaillir de la houille la force calorifique, que nous transformons en force motrice, de même ils savaient mettre au service de leur technique, la force germinative des êtres vivants. L'homme moderne doit se contenter d'enfouir le grain de la terre et de laisser aux forces naturelles le soin de les réveiller. Mais, à l'époque Atlante, on ne cultivait pas seulement les plantes pour en obtenir un aliment, on les cultivait encore pour rendre accessibles aux moyens de locomotion et à l'industrie, les forces qui sommeillent en elles. De même que nous avons des moyens de transformer en force motrice la force qui sommeille dans le charbon de terre, de même les Atlantes avaient les moyens de transformer en énergie techniquement utilisable la force germinative des semences végétales. C'est ainsi qu'étaient mus les appareils de locomotion qui planaient à une faible hauteur au dessus du sol. Cette hauteur était moindre que celle des montagnes, mais il y avait des appareils particuliers pour passer par dessus les montagnes. »

Les ingénieurs Atlantes disposaient, 9.600 ans avant notre ère, de pouvoirs psychiques très supérieurs aux nôtres. « Les paroles qu'ils prononçaient étaient aussi des forces de la nature. Ces paroles n'étaient pas seulement une désignation pour les choses, mais renfermaient une puissance capable d'action sur les choses et sur les autres hommes (...) Il en résulte que dans ces temps, les mots avaient des vertus curatives, qu'ils provoquaient la croissance des plantes, pouvaient apaiser la fureur des animaux et exercer toutes sortes d'effets de ce genre. Tout cela perdit de sa force, de plus en plus, chez les sous-races tardives des Atlantes. On pourrait dire que l'exubérance des forces naturelles perdit peu à peu de sa plénitude » *(R. Steiner: « Unsere Atlantisch Vorfahren », cité par A. Bessmertny: « L'Atlantide »).*

Deux textes de Platon, l'un dans le « Timée », l'autre dans le « Critias », ont servi de point de départ à ces merveilleuses chimères. Le philosophe grec nous dit que 9.000 ans avant Solon, l'Atlantide était plus grande que la Libye et l'Asie réunies. Donnée par les dieux à Poséidon, seigneur des océans, elle « acquit des richesses d'une telle abondance que jamais sans doute nulle maison royale n'en posséda auparavant de semblable, et que nulle n'en possédera aisément de telles à l'avenir. » Les Atlantes s'étaient taillés un empire colossal. Ils disposaient de tous les métaux désirables, y compris le mystérieux orichalque. Leurs vastes domaines fournissaient des céréales, des fruits, du bétail en quantité. Ils construisaient des cités, des sanctuaires, des palais et des canaux.

« Quant aux sources, celle d'eau froide et celle d'eau chaude, toutes deux d'une abondance généreuse et merveilleusement propres à l'usage, par l'agrément et les vertus de leurs eaux, ils les utilisaient, disposant autour d'elles des constructions et des plantations appropriées à la nature des eaux. Ils avaient installé tout autour des bassins, les uns à ciel ouvert, les autres couverts, destinés aux bains chauds en hiver. »

Ce peuple colonisateur décida un jour de s'attaquer aux anciens athéniens. Son armée se mit en marche, rencontra les Grecs et fut lamentablement défaite. Peu après ce cuisant revers, l'Atlantide disparut dans un terrible cataclysme. Pas de mystère donc dans le conte de Platon. Il constitue purement et simplement un morceau de bravoure à la gloire d'Athènes l'éternelle.

LA CATASTROPHE DE SANTORIN

L'archéologie a prouvé que ce discours patriotique se fondait cependant sur une réalité. La puissante civilisation maritime évoquée par le Timée et le Critias a bel et bien existé. Ce n'était pas l'Atlantide des rêveurs mais la Crète ancienne. Or, au XVème siècle avant notre ère, Santorin, une île placée sous la tutelle des héritiers du roi Minos, fut ravagée soudainement par l'explosion d'un volcan en activité et tout l'empire subit le contrecoup du drame.

Une catastrophe analogue se produisit en 1883 à Krakatoa, en Indonésie. L'énorme déflagration fut entendue jusqu'en Australie, l'onde de choc fit plus de trois fois le tour de la terre et des pluies de cendres tombèrent sur 30.000 kilomètres carrés. A l'échelle de la Méditerranée, un phénomène de la même ampleur a dû évoquer les horreurs de la fin du monde. Le souvenir s'en est transmis de génération en génération. A la longue, il a fini par prendre une dimension légendaire.

Platon ignorait la civilisation crétoise telle que l'a retrouvée Evans. Il connaissait en revanche les récits relatifs à la destruction, en des temps reculés, d'une île mal localisée dont on évoquait encore avec admiration la richesse et la splendeur.

C'est cette tradition, reprise par le philosophe antique, qui a donné naissance, tardivement, au plus baroque des mythes modernes. Il n'y a pas de secret de l'Atlantide. L'Age d'Or appartient à l'imaginaire de tous les peuples. Il est absurde de vouloir l'assigner à résidence en un lieu ou en un autre.

II

Professeur à la John Hopkins University, aux Etats-Unis, René Girard a redécouvert une loi essentielle, oubliée pendant trop longtemps: la religion est le moteur central des institutions humaines.

Quand il parle des sociétés traditionnelles, aucun problème. Le consensus parvient à s'établir. Mais une règle valable pour les Dogons, les Eskimos et autres Patagons peut-elle s'appliquer à la civilisation industrielle avancée. La nôtre. La seule, la vraie, celle qui étend ses tentacules sur la planète entière et fabrique de l'air pur en boîte?

J'entends d'ici ricaner les esprits forts. Les dieux sont morts depuis longtemps. Leurs tombeaux dorment dans les musées. L'homme s'est pris en charge, tout seul, comme un grand. Il est maître de son destin. Il s'assume. L'existence précède l'essence. Il n'y a même plus d'essence du tout.

Bon! Eh bien tout ça c'est faux!

C'est faux parce que notre système repose sur une étonnante assise de croyances encore plus irrationnelles que celles des vieux anthropophages.

La religion que les nouveaux prêtres — c'est-à-dire

les propagandistes — prêchent pour nous faire marcher dans les clous, repose sur une Tétrade sacrée: le Bonheur, le Progrès, la Science et la Technique.

Examinons cela d'un peu plus près.

Le Bonheur: valeur suprême, il est le seul but de l'homme sur la terre. Personne ne le définit parce qu'il est indéfinissable, comme l'En Sof des kabbalistes. C'est la Béatitude des Béatitudes. Les théologiens sont tout de même parvenus à découvrir une voie conduisant vers lui. Cette voie c'est la consommation aussi large que possible des biens produits par l'industrie.

En dehors du culte officiel de la consommation le Bonheur demeure inaccessible. Ceux qui cherchent ailleurs leur Bonheur à eux sont des hérétiques. Il importe de les récupérer par tous les moyens. Généralement, la bonne parole et les promesses de salut suffisent à ramener au bercail les brebis égarées. Dans les cas désespérés, on recourt à des procédés coercitifs tels que le centre de rééducation, la prison, l'hôpital psychiatrique ou la simple condamnation à la mendicité sur la voie publique.

Le Progrès: Fils du Bonheur ineffable, ce dieu s'est incarné ici-bas pour sauver les hommes. Tant qu'ils ne l'ont pas connu, ceux-ci ont erré dans le chaos, armés de ridicules bifaces taillés dans des cailloux. Cette longue nuit de l'impuissance a duré près de trois millions d'années. Puis le Messie est venu et tout s'est arrangé. En quelques millénaires, les hommes, avec l'aide de la divinité, ont mis au point la poterie, l'agriculture, l'élevage, l'arbalète, le mousquet, la mitrailleuse lourde, la bombe atomique, l'avion Concorde, les sondes spatiales, le stérilet, la TV en couleurs, les HLM, l'Amoco Cadiz, les camps de concentration, le poumon d'acier, la fermeture-éclair, le soutien-gorge, les antibiotiques, la trompette bouchée, le gaz de ville et j'en passe.

Messie généreux, le Progrès n'est jamais remonté

au ciel. Il est resté parmi les créatures du Bonheur pour les mener toujours plus avant sur l'autoroute de la connaissance. Chaque jour il leur inspire de nouvelles trouvailles destinées à transcender leur nature déficiente. Grâce au Progrès, l'homme ne cessera jamais de devenir plus fort et plus efficace. Ses oeuvres atteindront des proportions inimaginables. Toutes les maladies seront vaincues. L'heure de la mort reculera sans cesse. Pour évacuer le trop plein de la planète, il faudra coloniser les galaxies. Les descendants de Monsieur de Cro-Magnon deviendront les extra-terrestres des autres. Ils règneront sur le cosmos. Le Messie l'a promis. Béni soit son Saint Nom!

La Science et la Technique: ces deux divinités féminines sont complémentaires bien qu'elles s'opposent souvent l'une à l'autre, en raison de leurs différences de caractère. La Science se veut regard objectif. Elle observe sous tous le angles l'univers des phénomènes, le palpe, l'ausculte, le pèse et le soupèse, le décrit, l'explique, le commente. Elle dessine en permanence son portrait, le retouchant, l'affinant inlassablement. Grâce à elle, l'homme sait qu'il n'est ni un dieu ni un fâcheux accident de parcours.

Rien n'échappe à la Science. Tous les faits relèvent de son domaine, des étoiles aux réflexes de la puce, en passant par l'inconscient collectif, la longévité de l'éléphant, la danse des atomes, les moeurs des Pygmées, la libido du nourrisson, la gravitation universelle etc.

D'une façon générale, sa débordante activité se révèle parfaitement désintéressée. Seul le savoir pur la fascine. Son clergé la sert pour le plaisir, heureux de planer avec elle dans les hautes sphères lumineuses de la connaissance.

La Technique, elle, apparaît comme foncièrement terre à terre. C'est une divinité du sens pratique. Elle a des doigts carrés, la fesse large, l'oeil rivé au concret. Les considérations sublimes la laissent de glace. Tout ce que la Science lui offre, elle s'en empare goulûment pour créer du palpable, engendrer des certitudes confortables, rassasier les appétits grossiers. Pragmatiques avant tout, ses servants organisent la consommation avec un étonnant savoir-faire. Ils ont tout prévu, même les tranquillisants. Leur domaine c'est la fabrication, la production, la distribution, l'organisation, l'administration, la coordination, la planification, la régulation.

Plus que la Science, qui parfois se rebiffe, la Technique demeure la bien-aimée du dieu Progrès.

Au dessous de la Tétrade sacrée, viennent les Trônes, les Puissances et les Dominations. Parmi ces légions vigilantes, il faut citer la Machine, la Paix, le Parti, les Masses (ultime refuge de l'individu), le Sens de l'Histoire, le Travail (noblesse de l'homme), la Liberté (on fusille en son nom), la Politique (bien qu'elle soit sale, elle apporte des promesses de salut), la Jeunesse (à 40 ans un citoyen n'est plus un bon producteur), les Vedettes (en qui s'expriment les formes modernes de la sainteté), le Record (faire plus grand, plus gros, plus lourd c'est marcher dans la direction fixée par le Progrès), les Mathématiques (elles au moins ne racontent pas de blagues), les Idéologies (qui permettent de guider les aveugles vers la vérité), les Mass-Media (leur rôle est de réciter perpétuellement les litanies à la gloire des dieux) etc., etc.

Dans ses lignes essentielles, cette religion du Grand Système est universelle. Autrement dit, elle s'impose dans tous les pays développés ou sérieusement en voie de développement. Selon les zones géographiques, des différences interviennent toutefois. Diverses sectes introduisent des divinités secondaires qui peuvent être adorées en permanence ou au contraire durant une période plus ou moins brève. Par exemple: le Dollar, le Prolétariat, la Nation, le Führer, Mao, Staline, l'Art Abstrait, la Propriété Privée, l'American Way of Life etc. De même les Démons varient selon les latitudes. Certains peuples flétrissent la Bourgeoisie, l'Impérialisme, les Multinationales, le Fascisme, le Titisme. D'autres, le Communisme, le Goulag, le Gauchisme, les Nègres, la Révolution.

Malgré cela, quand des adversaires apparemment inconciliables entreprennent de s'exterminer à grande échelle (Technique oblige), ils le font toujours au nom de la Paix et du Progrès. En toutes circonstances l'amour voué aux dieux se révèle plus fort que les haines humaines.

L'une des caractéristiques essentielles de la religion du Bonheur est la façon dont elle a radicalement inversé la notion de l'Age d'Or. Naguère encore, l'homme situait cette époque mythique dans un passé immémorial. Il regardait avec nostalgie vers un monde perdu « où il ne fallait que tendre la main pour cueillir des fruits savoureux et toujours mûrs, où des récoltes complaisantes s'engageaient sans labour, sans semailles et sans moisson, qui ne connaissait pas la dure nécessité du travail, où les désirs étaient réalisés sitôt conçus sans qu'ils se trouvassent mutilés, réduits, anéantis par quelque impossibilité matérielle ou quelque prohibition sociale.

« L'Age d'Or, l'enfance du monde comme l'enfance de l'homme, répondait à cette conception d'un paradis terrestre où tout était ordonné d'abord et au sortir duquel il avait fallu gagner son pain à la sueur de son front » *(Roger Caillois: « L'homme et le sacré »).*

Tout cela est aujourd'hui balayé. Au mythe de l'Eden primordial, s'est substitué celui des lendemains qui chantent. L'Age d'Or se projette désormais dans l'avenir. L'humanité prétend marcher vers un paradis uniquement matérialiste qu'elle espère instaurer un jour ici-bas, envers et contre tous, à force de labeur et d'efforts.

Jamais encore l'homme, dans le but de créer son

propre royaume, n'avait ainsi pris la place du démiurge créateur. Jamais il ne s'était soumis à des dieux étrangers à l'Invisible. Dans une perspective traditionnelle, une telle entreprise est proprement démentielle. En termes chrétiens, elle est tout simplement satanique et de ce fait porteuse d'une inévitable tragédie. Mais les Chrétiens ont fini eux aussi par sacrifier aux idoles. Noyés dans le troupeau, ils oublient de proclamer la révolte.

Impérialiste et arrogante, la religion technique colonise impitoyablement le globe et porte sa vérole d'âme jusque dans les derniers carrés où subsistent encore des populations attachées aux cultes ancestraux. Bientôt il n'y aura plus d'oasis.

Au Sahara, les Touaregs, nomades fatalistes, continuent de prier tandis que s'effondre leur univers. Les routes remplacent les pistes de sable et de vent. Les chameaux cèdent le terrain aux camions. Au Niger, riche en uranium, les « hommes bleus » vendent leurs bras aux trusts pour un kilo de sorgho et quelques francs par jour. Victimes de la course aux matières premières, ils sombrent dans la nuit des bidonvilles.

En Indonésie, les Papous de l'Irian-Jaya, la partie occidentale de la Nouvelle-Guinée, refusent la centralisation étatique au nom de leur identité. Toni Mellive a consacré, dans « Le Monde », deux articles à leur drame. « Chez les Asmats, chasseurs de têtes par mysticisme, écrit-il, les erreurs du gouvernement furent catastrophiques. Les autorités tentèrent d'imposer aux familles la vie dans des maisons individuelles, alors que depuis toujours, elles cohabitaient à cinq ou six familles dans de vastes cases sur pilotis, se partageant la besogne et la garde des enfants. Les Indonésiens voyaient dans cette cohabitation une promiscuité immorale. Ils ignoraient que les relations sexuelles des Asmats ont toujours lieu dans la jungle...

« Plus grave encore, ils interdisaient les cérémonies religieuses qui, à leurs yeux, reflétaient un état primitif intolérable au sein de la nation indonésienne. Ils ordonnèrent la destruction des « yen », maisons cultuelles, interdirent la sculpture des « bis », grands piliers incarnant les esprits des ancêtres. C'est ainsi qu'ont disparu certaines sculptures qui ont fait des Asmats de grands maîtres de l'art primitif. »

Ces hommes désemparés, « prêts à tomber dans une décadence morbide », ont choisi de se battre avec les moyens dont ils disposent: le harcèlement et le sabotage. « Le terrain s'y prête à merveille. La jungle est impénétrable par les véhicules. Il suffit d'obstruer les terrains d'atterrissage — d'ailleurs conçus uniquement pour les petits avions — pour paralyser la machine de guerre. Les Danis ont même hérissé de pieux des clairières, afin d'empêcher les hélicoptères de se poser. Comme les Asmats, ce sont de redoutables adversaires. Ils se meuvent dans la jungle, silencieux, invisibles, insaisissables. Les soldats se trouvent subitement harcelés par une volée de flèches, sans même pouvoir découvrir d'où elles sont tirées. »

Malgré toute leur astuce, malgré toute leur audace, les Papous perdront à la longue. C'est certain. Qui se soucie de leur combat du dernier courage?

En d'autres points de la planète, des hommes souffrent et meurent aussi, plutôt que de voir disparaître l'idée qu'ils se font de l'univers. Pendant ce temps le Progrès, Moloch avachi sur son trône, part d'un rire imbécile. Ses fidèles innombrables se prosternent, sous tous les cieux, bouffis de certitudes, pétris de bonne conscience, ne voyant pas leurs mains rougies du sang des derniers justes.

Seigneur, comme le jour tarde à se lever.

TABLE DES MATIERES

Achevé d'imprimer
en septembre mil neuf cent quatre-vingt-un
sur les presses de l'Imprimerie Gagné Ltée
Louiseville - Montréal.
Imprimé au Canada